# el arte
# barroco en
# México

# el arte barroco en México

desde sus inicios, hasta el esplendor
de los siglos XVII y XVIII

Rafael Carrillo A.

PANORAMA EDITORIAL, S.A.

Portada:
Tonanzintla; Puebla

Primera edición en español: 1982
© Panorama Editorial, S.A.
Leibnitz 31,
Col. Anzures 11590
México 5, D.F.

COLECCION PANORAMA
Bajo la dirección de:
Federico Santiago E.

Fotografías:
Walter Reuter

Printed in Mexico
Impreso en México

ISBN 968-38-0062-9

# Indice

# ANTECEDENTES

La toma de Granada y la liberación de las últimas tierras hispanas de la soberanía musulmana constituyeron la gran victoria del poder nacional unificado, lograda por los Reyes Católicos, Gonzalo de Córdoba, el *Gran Capitán,* junto con Gonzalo de Ayora y Francisco Ramírez, *el artillero,* transformaron radicalmente el arte de la guerra combinando el empleo de las antiguas armas —dardos, lanzas, espadas y ballestas— con las de fuego —cañones, arcabuces y minas—. Esto permitió utilizar en forma hábil y flexible a la infantería, la cual se transformó en los temibles y famosos *tercios,* pavor de la Europa protestante.

Con su triunfo sobre los moros, España lograba la unificación nacional e irrumpía con pujante brío en el escenario de la historia. El vigor de su pueblo se iba a manifestar no solamente en el campo de las armas, que habían recuperado para la corona de Aragón el Rosellón y la Cerdeña, sino también en otros ámbitos. Era la época de los Cancioneros, de Juan de la Encina, de Lucas Fernández, de Fray Ambrosio Montesinos, del Cartujano, de Alvarez Gato. Antonio de Nebrija, cronista de los

Reyes Católicos, depura y fija el castellano en su *Gramática*. Cristóbal Colón descubre todo un Nuevo Mundo, donde iba a desplegarse durante tres siglos el Imperio más grande de todos los tiempos.

Los progresos de la economía monetaria y las crecientes facilidades del intercambio hieren de muerte a las antiguas formas de producción y de cambio. Convertidos los servicios personales en pago del tributo en dinero, nacen nuevas relaciones entre los hombres. Emergen las monarquías y languidecen los poderes feudales. Se forman los consejos municipales bajo la tutela de las cortes reales y los obispados, que absorben las atribuciones que habían detentado los rurales. Crecen los pequeños burgos hasta convertirse en ciudades, y la vida civil se aglutina en torno de las catedrales y del palacio del rey. Las universidades ocupan el lugar de las viejas abadías.

Los innumerables adelantos técnicos alcanzados en la producción metalúrgica, la manufactura textil, la navegación, las invenciones de los instrumentos astronómicos que permitían la navegación de altura y la de la imprenta, así como los progresos en la investigación científica, dieron como resultado la búsqueda de la ruta más corta hacia las Islas de la Especiería, que originó el descubrimiento de lo que hoy llamamos América.

El centro de gravedad de la historia pasó del Mediterráneo al Atlántico, y los países ribereños del mismo, a ocupar un lugar prominente en la vida de la humanidad. Españoles y portugueses y más adelante ingleses, franceses y holandeses, colonizaron los nuevos territorios, llevando a ellos su religión, su arte y sus formas de vida.

Al comenzar el reinado de don Fernando de Aragón e Isabel de Castilla —los Reyes Católicos— el estilo

*Imafronte del Santuario de*
*Tepalzingo, Morelos.*

artístico dominante en sus reinos era el gótico, entrado ya en la tercera parte de su ciclo evolutivo. Tres centurias habían corrido desde que ese estilo había penetrado en España, traído de Francia, donde había nacido y desarrollado, superando el románico, del cual ha dicho Focillón que fue 'la premiere definition de l'Occident',[1] precedido del tiempo de aprendizaje que bajo Carlomagno creó el *sajón*.

El románico dio por primera vez seguridad a las iglesias contra los frecuentes incendios de que hablan las crónicas, originados por rayos o por las antorchas llevadas en las procesiones, pues una vez abovedado el templo, éste logró su mayor monumentalidad. En los años de madurez del románico, del cual Höederlin dijo que era una "sagrada sobriedad" compiten la cúpula bizantina, la bóveda de medio cañón y la bóveda de crucería, formada por el cruce de dos de cañón, construida en Speyer hacia 1080, con aristas entre sus calotes y luego, a partir de 1090, sobre nervaduras.

Con la bóveda de nervios se inició el gótico, considerado como "una sagrada intranquilidad hacia Dios", un estilo que hace brotar de la tierra, sobre sólidos cimientos, los templos que lanza hacia las alturas. Como más adelante el barroco, el nombre de gótico se usó inicialmente con sentido despectivo, ridiculizándolo como una forma de arte bárbaro, reñido con los cánones grecorromanos de la belleza y producido por los descendientes de los incultos saqueadores de Roma. El gótico desplaza el tipo de construcción propagada por el Císter.

La belleza y audacia de las construcciones góticas

---

[1] Harold Busch y Bernard Lohse, *Arquitectura del Románico en Europa*, Madrid, Ediciones Castilla, 1965, p. III.

hacen lucir la esbeltez de sus líneas verticales que brotan del suelo y obligan al ojo del espectador a seguirlas hacia las alturas, hasta topar con las nervaduras de las bóvedas. La ligereza de los apoyos visibles que vencen las leyes de la gravedad, hizo posible la arquitectura gótica. Anteriormente, las bóvedas se sostenían sobre vigas, y por tal razón eran muy estrechas, limitadas a la dimensión de la madera. Cuando se empleó la piedra, el arco de medio punto que privaba desde la época romana, no pudo soportar grandes pesos; se necesitaban muros de gran espesor para resistir el empuje de las bóvedas llamadas de cañón seguido. El estilo gótico lo transformó todo: usó el arco apuntado u ojival, capaz de tolerar mayores cargas que el de medio punto. Los constructores franceses descubrieron que podían construir bóvedas más amplias y hermosas. Las aristas resultantes del cruce de las bóvedas se transformaron en nervaduras capaces de resistir un abovedado considerado hasta entonces imposible. Y las bóvedas de nervaduras con sus secciones de triángulos esféricos, como un paraguas, dieron claridad, ligereza y elegancia a las nuevas iglesias.

La arquitectura gótica tanto en su parte activa como son los arcos, los pilares y contrafuertes, como en la parte muerta, muros, espacios intermedios de las bóvedas, logra una máxima economía de volumen. Los pilares se adelgazan hasta formar un haz de nervios que se ensambla con los arcos sustentantes de las bóvedas. El espesor de los contrafuertes está calculado para aguantar la descarga de los arcos que en ellos descansan, y los muros que dan apoyo permiten amplios ventanales en los cuales se montan las preciosas vidrieras —vitrales— y las rosas policromadas que pasman al espectador afortunado de admirarlas en las catedrales de Chartres, Reims y Nuestra Señora de París.

Dada la vigorosa regionalización expresada en los diversos reinos constituidos, el gótico en España no pudo ser uniforme, de manera que el construido en el noroeste de la península en Asturias, Galicia, León, Valladolid, Segovia y Guadalajara, el llamado gótico leonés-castellano, difiere del aragonés, del catalán, del valenciano, del andaluz y del hecho en las Baleares.

Otra poderosa influencia se hizo sentir: el arte mudéjar salido de las manos de los moros que vivían en los reinos cristianos. La perfección técnica de los mudéjares, los exiguos estipendios que se les pagaban, la baratura de los materiales que empleaban como el ladrillo, la mampostería, la madera y el yeso, hacían apetecible su trabajo. Por otro lado, la convivencia de mahometanos y cristianos fue en ocasiones tan estrecha, que sabios musulmanes aconsejaban al rey Alfonso X, *el sabio*. Otro monarca, Enrique IV, adoptó las costumbres islámicas. Alfonso XI y Pedro I edificaron sus palacios en Tordesillas y en el Alcázar de Sevilla empleando alarifes árabes y de acuerdo con sus normas arquitectónicas.

En el siglo XV, los herradores moros y españoles estaban agremiados en la Cofradía de San Eloy en Segovia; en Burgos, en el siglo XIII, un moro era comisario municipal de las obras públicas, y en 1385, Ibrahim Allahar era maestro de obras en Zaragoza.

La influencia del arte mudéjar ha llevado a varios historiadores a manifestar que tal arte es el más genuinamente nacional de España, porque es el de mayor originalidad entre los diversos estilos históricos. El arte mudéjar aparece vigoroso en el siglo XIII, se extiende en el XV y en algunos casos persiste hasta el siglo XVI.

Soluciones constructivas y ornamentales se advierten en el periodo barroco del siglo XVIII. En Sicilia y otras regiones italianas, así como en nuestro hemisferio, como nos señala el maestro Toussaint [2] hay muestras del mudéjar que floreció en nuestras tierras desde el sur de lo que hoy son los Estados Unidos como las misiones de la Alta California, Texas y Nuevo México, hasta Chile y Argentina, abarcando Cuba y el Brasil.

Los arquitectos mudéjares adaptaron elementos románicos y góticos con los que les eran propios, sin despersonalizarlos. Combinaron el arco lobulado y en forma de herradura con el ojival, creando así nuevas variantes tanto en las construcciones como en el decorado de las mismas. La mano morisca construyó bellísimos campanarios, y las lacerías y los motivos geométricos se enriquecieron con las contribuciones góticas. Las yeserías alcanzaron una delicadeza de encaje.

Los Reyes Católicos, especialmente Isabel de Castilla, eran sensibles a la belleza; en medio del fragor de la lucha armada, las intrigas cortesanas y de los graves asuntos de Estado, aquella admirable mujer tenía tiempo para proteger todas las artes, hacer venir del extranjero a numerosos artistas y dotar a España de una colección de pintura única en el siglo XV.

Silio Cortés nos muestra a la gran reina tomando a su servicio a todos los artistas de valía. La nómina es muy larga, pero es bueno conocer algunos nombres: Juan de Flandes, Michiel Sithium y Mechior Aleman; Gil de Siloé, quien ejecutó la tumba y el retablo de Miraflores; Juan Gues y Enrique Egas construyeron mo-

[2] Manuel Toussaint, *Arte Mudéjar en América,* México, Editorial Porrúa, 1946, p. 4.

numentos. Asimismo, puso al servicio de nobles y obispos a Jorge Inglés, Juan Flamento, Juan de Borgoza y Francisco Ameres como pintores; Annequin Egas, Juan y Simón de Golonia, Vigany, Diego Copin, Peter Dancart, Juan de Malinas y Rodrigo Alemán, como arquitectos y escultores. Numerosas obras pictóricas, esculturas, iglesias, conventos y edificios civiles, ostentan el yugo y las flechas símbolo de Isabel y Fernando que de 1470 a 1525, muerta ya la gran reina, demuestra el poderoso impulso que supo dar a todas las formas creativas del arte.[3]

Nada extraño resulta que el historiador francés Emile Bertaux haya llamado "estilo isabelino" [4] a las definidas modalidades artísticas que se inician en el reinado de los Reyes Católicos y se prolongan después de la muerte de ambos.

El "estilo isabelino" es el gótico flamígero, desarrollado en Europa durante la segunda mitad del siglo xv y que en España se nutre de elementos indígenas, cobrando así auténtica personalidad. Se caracteriza el flamígero por la decoración de calados con adornos disimétricos, semejantes a las ondulaciones de las llamas.

Otros elementos ornamentales que alcanzaron a reflejarse en España, ávidamente captados por los artistas, fueron los que transmitían las noticias provenientes del Nuevo Mundo, las cuales aportaban elementos exóticos, estilizaciones de figuras y vegetales que asombraban a quienes las veían. Por otra parte, en la isla La Española,

---

[3] César Silio Cortés, *Isabel la Católica, Fundadora de España*, Madrid, Espasa-Calpe, 1973, pp. 386 y ss.

[4] José Selva, *El arte español en tiempos de los reyes católicos*, Barcelona, Edit. Ramón Sopena, 1963, p. 76.

Bartolomé Colón, hermano del Gran Almirante, mandó erigir el primer templo del Nuevo Mundo (1503-1508), dedicado a San Nicolás de Bari, cuya construcción pertenece al estilo isabelino. Más tarde, las corrientes renacentistas alcanzaron las postrimerías de ese estilo con nuevos elementos como las formas *platerescas*. José Selva [5] dice que el nombre *plateresco* se le aplicó al estilo introducido en la Península y que captó las nuevas formas del arte italiano, llevado a España, al parecer, por el famoso orfebre catalán Pedro Diez, quien estuvo en Roma a solicitud del papa Calixto III, regresó a su tierra a la muerte de ese pontífice acaecida en 1458 y montó un taller en Toledo, en el que hacía trabajos para la Catedral. Enrique de Egas, hijo del maestro mayor de aquel templo y arquitecto de numerosas obras de esta época, seguramente recibió influencias del orfebre Diez, de amplia y sólida fama.

Otra fuente nos dice que don Iñigo López de Mendoza, Conde de Tendilla —pariente del primer virrey de Nueva España— y embajador de los Reyes Católicos ante la Santa Sede, recibió en 1486 de manos del Papa Inocencio VIII una espada bendita labrada por artífices italianos. Los delfines que decoran la empuñadura aparecieron más tarde en la portada del Colegio de Santa Cruz de Valladolid, iniciado en el estilo gótico por el Cardenal Mendoza y que terminó el Conde de Tendilla ya en el nuevo estilo. Tocó al arquitecto Lorenzo Vázquez, el más representativo del mismo, romper la tradición gótico-isabelina.

En 1528, Diego de Sagredo, capellán de la reina Juana (la Loca), publicó después de un viaje a Roma

---

[5] *Ibid.*, p. 105.

y a Florencia la obra titulada *Medidas del romano necesarias a los oficiales que quieren seguir las formaciones de las bases, columnas, capiteles y otros edificios antiguos,* la cual es una síntesis de los conocimientos que había adquirido en Italia, e influyó poderosamente en la divulgación del plateresco.

La arquitectura civil recibe la influencia de la nueva corriente, de modo que los arquitectos peninsulares la dominan pronto. La prosperidad económica da oportunidad a las casas señoriales de hacer sus palacios dentro del nuevo estilo, quizá más tosco que el de Italia, pero más vigoroso.

El plateresco poseyó una vigorosa raigambre popular, como son las zapatas y las columnillas torneadas. En su primera fase cubre las portadas de los templos góticos con decoraciones a modo de retablo; continúa con las cresterías góticas y las ventanas con tímpano calado sobre columnillas. Los grutescos, los jarrones, los arabescos, las hojas; la fauna, la flora y las figuras humanas manejadas con gran imaginación, se juntan con los remanentes góticos, sobre todo del florido. El nuevo estilo es aceptado con entusiasmo por la arquitectura civil; las ciudades donde se empleó son Burgos, Toledo, Guadalajara, Zaragoza y Salamanca. La fachada de la sacristía de la capilla de la Universidad de Salamanca, las galerías de su patio y la escalera, son también muestras de ese hermoso estilo.

En un bello libro Antonio Toussaint [6] nos muestra el antecedente italiano de la Cartuja de Pavía y luego los ejemplos españoles: Salamanca, Toledo, Burgos, Pe-

---

[6] Antonio Toussaint, *El plateresco en la Nueva España*, México, Artes de México, 1971.

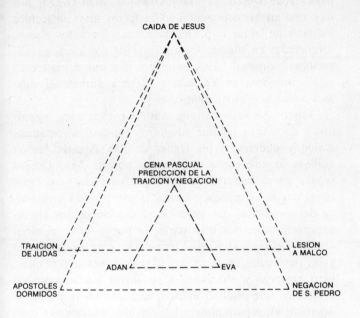

PADRE ETERNO

CAIDA DE JESUS

CENA PASCUAL
PREDICCION DE LA
TRAICION Y NEGACION

TRAICION
DE JUDAS

LESION
A MALCO

ADAN

EVA

APOSTOLES
DORMIDOS

NEGACION
DE S. PEDRO

FLAQUEZA HUMANA II

*Esquema del infronte del Santuario de*
*Tepanzingo, Morelos, mostrando*
*el propósito catequista del mismo.*

ñaranda de Duero, Sevilla y Granada. Mac Gregor nos dice que en México intervino un factor más: la técnica indígena de labrar la piedra hizo muchos ornatos planos, "recortados en silueta, lo que coincide con ciertas realizaciones moriscas".[7] Este autor nos dice que el plateresco siguió usándose en Yucatán y Oaxaca durante el siglo XVII e inclusive en el XVIII.

Fueron las órdenes religiosas de franciscanos, agustinos y dominicos las que adoptaron los estilos románico, gótico y plateresco; los frailes de San Agustín fueron quienes lo emplearon con mayor pureza. Mac Gregor señala como factores de la destrucción de numerosos monumentos religiosos y civiles la prosperidad económica del virreinato, que permitía el cambio de las modas arquitectónicas; por otra parte, la pugna entre el clero secular y el regular, pues el primero inventó las catedrales y las parroquias en la ciudad y poblaciones importantes, pero postergó y abandonó a su suerte los monasterios y templos que estaban anexos, llegando en ocasiones a desmantelarlos para aprovechar retablos, esculturas y cuadros de los conventos, en los templos parroquiales.

La notable investigadora Elisa Vargas Lugo coincide con Mac Gregor y dice: "Entre los hechos históricos que consideramos esenciales para la comprensión de este fenómeno se cuentan: la decadencia del poderío monástico; la secularización de conventos y el predominio del clero secular; el desarrollo de las clases aristocratizantes y adineradas, especialmente aburguesadas y la influencia de las nuevas corrientes del pensamiento europeo".[8]

[7] Luis Mac Gregor, *Actopan,* México, Instituto Nacional de Antropología e Historia, SEP, 1955, p. 59.

[8] Elisa Vargas Lugo, *Las Portadas Religiosas de México,* México, Instituto de Investigaciones Estéticas. UNAM. 1969, p. 37.

Don Antonio Toussaint nos da una buena lista de los lugares donde todavía se puede admirar el plateresco: Mérida —la Casa de los Montejo—, Puebla, Acolman, Actopan, Ixmiquilpan, Yecapixtla, Tepozotlán, Cuernavaca, Yanhuitlán, Teposcolula, Tlalmanalco, Uruapan, Zacapu, Erongarícuaro, Pátzcuaro, Morelia, Tzintzuntzan, Cuitzeo, Yuriria, Huejotzingo y en el mismo Distrito Federal, en Coyoacán y Xochimilco, las fachadas de la iglesia de la Santa Cruz Atoyac. Mac Gregor añade Azcapotzalco y otros lugares.

# EL NACIMIENTO DEL BARROCO

*"Goza, goza el color,
la luz, el oro".*

**Góngora**

El año de 1569 el cardenal Alejandro Farnesio, sobrino
del papa Pablo III, encargó a Iacoppo Barozzida de
Vignola (1507-1573), llamado comúnmente Vignola, la
construcción de la iglesia de los jesuitas romanos, deno-
minada del *Gesú.* Vignola era un entusiasta de Miguel
Angel, a quien sucedió en la obra de la Basílica de San
Pedro construyendo las cúpulas secundarias. Fue autor
de un importante tratado de arquitectura, llamado *Regla de las Cinco Ordenes,* que andando el tiempo sería
la base del futuro neoclasicismo. Vignola se inspiró en la
iglesia de la Virgen de Monserrat levantada por Antonio
Sangallo, para hacer la de los jesuitas; originada en la
arquitectura gótica de Provenza, Languedoc y Cataluña,
tiene una sola nave, capillas laterales que privarán en
innumerables templos católicos, transepto poco saliente,
ábside cuadrado, altar con retablo adosado al muro del
fondo, cúpula en casquete esférico en el crucero, venta-

nas abiertas por encima de la cornisa interior formando lunetos en la bóveda. Esta forma de iglesias sustituye a la de planta central tan apreciada en el Renacimiento y que no retornará sino mucho después.

La fachada de la iglesia del *Gesú* está constituida por dos entablamientos adosados que no tienen relación con el interior ni propósito constructivo. La cúpula está adornada con frescos de Baciccia y en su interior se encuentra el altar de San Ignacio de Loyola.

Vignola no terminó la iglesia pues sólo alcanzó a construir la fachada hasta el primer entablamiento, en el cual aparecen los pilares acoplados, numerosos frontones y aberturas y nichos alternados. Pero lo interesante, y ya señalado por Víctor Manuel Villegas, es que la iglesia del *Gesú* tiene "en un ventanal del coro, interesantes y bellos estípites, en los que probablemente se inspiró el churriguerista Ribera para las suyas en el Puente de Toledo, en Madrid. Son pilastras con ángeles en su masa, que sostienen el capitel del orden compuesto, con alas desplegadas".[9]

El segundo entablamiento, menos ancho, realizado por Giacomo della Porta, está formado por un frontón triangular, flanqueado por dos ménsulas en forma de S inclinada. La fachada de la iglesia está sugerida en la disposición de la del Espíritu Santo in Sassia, de Antonio de Sangello, edificada en 1550.

La fachada tuvo tal éxito, que de 1570 a 1630 todas las iglesias romanas copiaron la del *Gesú*: Santa María *in Vallicella,* San Jerónimo *degli Schiavoni,* el Espíritu

9 Víctor Manuel Villegas, *El gran signo formal del barroco.* México, Instituto de Investigaciones Estéticas, UNAM, 1956, p. 51.

Santo de los Napolitanos, San Andrés *della Valle,* Santa María *della Vittoria,* San Nicolás Tolentino, San Isidoro, Los Santos Domingo y Sixto, San Juan de los Florentinos, San Ignacio y la prolongación de la Basílica de San Pedro en El Vaticano, debida a Maderno; los tres últimos, sin embargo, constituyen cierta variación en la planta del *Gesú,* pues están dotados de naves laterales y también de cuerpos salientes y columnas.

Giacomo della Porta levantó después la *Madona dei Monti en* 1580, que inicia el recurso del movimiento separando los planos, aumentando el relieve, logrando efectos pictóricos en el empleo de la luz y las sombras. La evolución se da con el empleo de numerosas columnas adosadas, como en la *Chiesa Nuova dei Filippini,* de Fausto Righesi.

Carlo Maderno introduce cambios importantes en la iglesia de *Santa Susana* mediante el avance del eje de la fachada en tres planos escalonados sucesivos y por el desprendimiento de las columnas todavía alveoladas, en sustitución de los pilares de Vignola.

En la fachada de la iglesia de los *Santos Vicente y Anastasio* de Roma, Martino Lunghi lleva al extremo el juego de los planos destacados en las columnas en gradación, sostienen tres frontones concéntricos en los cuales se ha roto la cornisa horizontal para no dejar más que dos partes de la misma formando un circunflejo.

El origen del nombre de barroco no es claro. Se supone derivado del término con que los joyeros designaban las perlas de forma irregular. Se atribuye a Benvenuto Cellini, quien, entre las varias artes que dominaba, se encontraba la orfebrería, la introducción del vocablo italiano *barocco* o en francés *baroque,* como equivalente de bárbaro, extravagante e, inclusive, mal hecho. También se le hace provenir del portugués *barroco* o *barrueco,* usado para designar una perla irregular o un nódulo esferoidal que suele encontrarse en algunas rocas. El término figura en una clasificación de silogismos del siglo XIII. En 1531 puede leerse en el inventario en francés de la herencia de Carlos V: "97 gros ajorffes dictz *barroques* enfilez en 7 filletz".

Al terminar Miguel Angel los murales de la Capilla Sixtina, mencionaba en una carta dirigida a un amigo el lamentable estado de su cuerpo, con estas palabras: "Mi inteligencia es tan barroca como mi cuerpo que parece una caña encorbada".[10]

Es indudable que en su tiempo el barroco constituyó la insurgencia, la revolución del arte en todos los campos contra los estilos anteriores, mediante la búsqueda de nuevas soluciones y forzando la rígida preceptiva purista. Por otra parte, las fuerzas que habían permanecido larvadas en la sociedad medieval, maduraron al calor de las conquistas obtenidas de las minas de México y el Perú. El cisma religioso se transformó en una gigantesca revolución, la Reforma que disputa a la Iglesia Católica el dominio del mundo. Dinamarca, Noruega, Suecia e Inglaterra militan contra la Santa Sede y todo lo que representa. El Sacro Romano imperio se disgrega. En Flandes y los Países Bajos estalla la rebelión, así como en Portugal y Cataluña. Solimán El Magnífico domina Hungría y lleva el estandarte verde del Profeta hasta los muros de Viena. El avance turco sobre Europa es detenido para siempre en la batalla naval del estrecho de Lepanto, el 7 de octubre de 1571, en la cual el soldado

[10] Gilles Lapouge. *L'Universe de Michel Ange.* Cabinet de Dessin. Seagel, París, 1973, p. 72.

Miguel de Cervantes Saavedra —príncipe de la lengua española— queda lisiado de un brazo. Para celebrar la victoria, la Iglesia instituyó la fiesta del Santo Rosario. La tempestad era tan recia que Paulo II hizo grabar una medalla donde aparece asiéndose a una columna con la inscripción: "Port multa plurina restnat" y ordena a Miguel Angel pintar el Juicio Final en el fondo de la Capilla Sixtina.

Y esta Iglesia, amenazada de muerte, despliega una energía sobrehumana para defenderse y reconquistar el terreno perdido. Lucha no sólo en el campo de batalla, sino también en el del arte, y es tan vigoroso su esfuerzo que cubre con el barroco el ámbito cultural del mundo, durante casi dos siglos.

En el campo del arte religioso, el barroco llena las finalidades de atraer y deslumbrar a las masas. Las nuevas iglesias no son los sombríos templos medievales, llenos de recodos, propicios a la contemplación franciscana o a la meditación tomística, sino vastas salas, claras, homogéneas, destinadas a la predicación y a la oración colectiva. Desligado de la rigidez clásica, el barroco encarna el movimiento. Lo clásico es lo inmutable, lo perfecto, ajeno al tiempo, intemporal. El barroco es el devenir.

El estilo barroco tiene su antecedente en el gótico flamígero y, sobre todo, en el florido. En el campo de las ideas, toma su razón de ser en la aspiración del hombre por la vida trascendente: ¿qué somos, a dónde vamos? Hay un hambre de eternidad. Y el barroco da al transido de angustia una anticipación del futuro, de gloria. Por esta razón, las bóvedas ya no serán las desnudas nervaduras del gótico, sino que estarán pobladas de santos, de arcángeles, de serafines, combas llenas de

*Portada de la Iglesia de Santa Prisca Taxco,*
*Guerrero, erigida merced a la munificencia*
*del minero don José de la Borda.*

luz y de colores que por los efectos de la perspectiva y los artificios de la construcción, dan una sensación de irrealidad.

El barroco es grandioso, no retrocede ante la desnaturalización de los elementos constructivos como por ejemplo las columnas, y en el caso de México, el estípite se convierte en un elemento decorativo más que sustentante. Los arquitraves se dislocan y sobre ellos caen elementos decorativos sin función constructiva, como nubes y rosas.

El nuevo estilo procura obtener vigorosos efectos plásticos acentuando los contrastes del claroscuro; los salientes se alargan, los huecos se rehunden, los ángulos resaltan fuertemente. La línea curva lo domina todo, evitando las formas geométricas y definidas del Renacimiento. Continúan empleándose los órdenes grecorromanos, pero se prefiere el jónico de capiteles achatados; se usan también el corintio y el compuesto. Las ventanas adoptan perfiles curvos; en las múltiples hornacinas, en los frontones rotos de puertas y ventanas y en las cornisas, ángeles y santos con ricas vestiduras agitadas por el viento cantan la gloria del barroco.

El movimiento lo invade todo. Las grandes fachadas palidecen ante la suntuosidad de los interiores, donde el color y las formas invaden todo espacio. Se quiere hacer de cada iglesia un trozo del paraíso utilizando los mármoles de colores, el estuco y los oros. Los edificios suelen dotarse de bóvedas de medio cañón, reforzadas por arcos fajones que prolongan la línea vertical de las pilastras. La cúpula es el centro de ese universo de columnas, ventanas, retablos y estatuas, y allí se derrocha la pintura y la escultura.

La arquitectura se desdobla, se hace fluida, incorpórea. Se multiplican los frontones y se hacen concéntricos o superpuestos. Hasta entonces el arte se había ceñido al equilibrio, a las compensaciones y a la moderación; el barroco rompe con esa tradición, no teme la independencia, la desarmonía y el desequilibrio, porque es una poderosa fuerza desatada, reñida con la inmovilidad.

Los efectos reales de la luz rivalizan con la proveniente de las claraboyas de color, como las que iluminan verticalmente la emocionante estatua de la transverberación de Santa Teresa, debida a Bernini; óculos como el del Espíritu Santo en medio de retablos deslumbrantes de la Catedral de San Pablo; linternas escondidas como las de la iglesia de Belén en Barcelona o las dobles cúpulas con ventanas escondidas como en Los Inválidos de París.

La razón cede el lugar a la emoción y desde las fachadas, los retablos, los púlpitos, los altares, los ábsides y las bóvedas, los vuelos angélicos, la imagen de las almas que ganan la gloria, la expresión de la misericordia divina, contrastan rudamente con la muerte definitiva, la disolución y la nada que esperan al réprobo. La vida eterna en medio de la alegría y de la luz o la sombra eterna: juego dialéctico manejado con suprema eficacia.

Toda una pléyade de místicos que más adelante serán canonizados: San Ignacio de Loyola, San Carlos Borromeo, Santa Teresa de Jesús, San Juan de la Cruz y San Felipe Neri, militan activamente en la lucha contra la Reforma. San Juan de la Cruz, el eximio poeta, nos da la clave de la redención:

> *Vivo sin vivir en mí,*
> *y de tal manera espero,*
> *que muero porque no muero.*
> *En mí yo no vivo ya,*
> *y sin Dios vivir no puedo,*
> *pues sin Él y sin mí quedo,*
> *este vivir ¿qué será?*
> *Mil muertes se me hará,*
> *pues mi misma vida espero,*
> *muriendo porque no muero.*
> *Esta vida que yo vivo*
> *es privación de vivir,*
> *y así es continuo morir*
> *hasta que viva contigo,*
> *oye, mi Dios, lo que digo,*
> *que esta vida no la quiero,*
> *que muero porque no muero.*

Y cuando el alma ansiosa logra la unión perfecta con Dios, exclama:

> *Quedéme, y olvidéme,*
> *el rostro recliné sobre el Amado,*
> *cesó todo y dejéme,*
> *dejando mi cuidado*
> *entre las azucenas olvidado.*

Como las católicas, las sociedades protestantes gustaban de la representación y de la gloria. Tanto Velázquez con su Rendición de Breda y Las Meninas, como Rembrandt con su afición a las panoplias, a los turbantes, a los retratos de funcionarios municipales o las rondas de los caballeros, demuestran ambos que son tan barrocos como Rubens con sus nácares y sus rubias deslumbrantes.

El barroco tomó del espíritu de la Contrarreforma el poder de un doble postulado: en la tierra nada es permanente, todo es frágil y perecedero; en el cielo el júbilo y el triunfo son eternos. De allí que lo terreno no sea más que una representación, una apariencia, el "gran teatro del mundo", en palabras de Calderón de la Barca. Advenirán las pastorelas, resucitarán las antiguas tragedias, las bufonadas escatológicas, las óperas cantadas, los ballets y las piezas latinas de los jesuitas.

Nace la *commedia dell'arte,* poblada de personajes fantásticos y al mismo tiempo vivos, tan pintorescos como sus trajes. La *commedia dell'arte* convive con el teatro regular, pero aquélla está al ras del suelo, es la pantomima y la payasada. Heredera de las comedias antiguas griegas y romanas, los comediantes se inspirarán en la vida popular, en las costumbres de los artesanos y de los campesinos, tipos fundamentales de aquella sociedad: Polichinela, el Capitán, Pantaleón, el doctor, los dos criados bufones y Arlequín y Brighela. Las mujeres son enamoradas y coquetas, intrigantes, ingenuas, cortesanas o celestinas. La *commedia dell'arte* pasa a Francia y contribuye, no sin sufrir persecuciones y eclipses, a que los actores franceses abandonasen el "tono demoníaco" tan ridiculizado por Moliére.

Evaristo Gherardi, actor, autor y director destacado en el siglo XVIII nos dice que la *commedia dell'arte* tenía una gran frescura y vitalidad, porque los comediantes no se aprendían sus papeles de memoria, sino que conociendo el argumento, improvisaban, desplegando una imaginación y variedad de recursos verdaderamente asombrosa, resolviendo situaciones apuradas con un gesto, un bastonazo o una pirueta.

La lucha contra el enorme movimiento de Reforma se extiende a todos los campos. En 1537 el Consejo de Cardenales designado por Paulo III para reorganizar la Iglesia Católica, le envía una relación detallada de los males que ésta sufría: "Hemos tranquilizado nuestra conciencia —decía el documento— con la esperanza de ver bajo Vuestro Pontificado la restauración de la Iglesia de Dios... Habéis tomado el nombre de Paulo. Nuestro deseo es que imitéis su caridad. El fue elegido como instrumento para llevar el nombre de Cristo a los gentiles. Vos, así lo esperamos, habéis sido elegido para reavivar en nuestros corazones y en nuestros hechos aquel nombre, ha largo tiempo olvidado por los gentiles y por nosotros, el clero; para curar nuestro mal, para reunir las ovejas de Cristo en un único rebaño y para alejar de nuestra cabeza la cólera y la venganza ya inminente de Dios." [11]

Después vino el Conciiio de Trento (1545-1563) que restaura el poder de la Inquisición; se persiguen las llamadas herejías, se crea un *Indice* de los libros prohibidos; se restablecen los dogmas de la religión; se vigorizan las órdenes monásticas y se crea la de los jesuitas. Se restablecen la moral y la disciplina del clero para contener los poderes de la curia y la venta de indulgencias, y se establecen reglas para la ejecución de las diversas artes.

Emerge en esos años conflictivos de la lucha contra la Reforma un músico extraordinario: Giovanni Pierluigi

[11] *Historia de la Música*. CODEX. Fascículo 8, página 123. Fratelli Fabbri Editores, S. A. L., Milán, Italia, 1965.

de Palestrina —nombre del lugar de su nacimiento, cercano a Roma—, quien comienza como "pueri cantores" de las basílicas romanas; después fue organista, maestro de capilla y finalmente cantor pontificio. Su vida transcurre en Roma donde crea una música de hondo contenido religioso. Sus temas varían y se repiten infinitas veces, pero la habilidad técnica de Palestrina las hace siempre originales. Agobiado por apremios económicos, no se aparta de su trabajo creativo renovador de la música litúrgica, contaminada por excesivos virtuosismos técnicos que amenazaban reducirla a un estéril juego melódico, desprovisto de carácter sacro.

La música de Palestrina fascina por su melodía serena y calmada, por su fluir natural, logrado mediante el trenzado de las diversas voces. En los momentos de mayor plenitud expresiva, Palestrina recrea el espíritu melódico del canto gregoriano; las voces polifónicas —cuatro, cinco o más— generan algo nuevo desde el punto de vista melódico, pero al mismo tiempo respetan la estructura de la palabra, guardan fidelidad a los textos sagrados y exaltan el más profundo sentido de la plegaria. El gran compositor alcanza la mayor claridad simplificando la línea melódica de las distintas voces, reduciendo las largas vocalizaciones sobre una sílaba, utilizando un contrapunto extremadamente simple y transparente.

Palestrina no se propuso levantar grandes monumentos sonoros, sino interpretar textos sagrados tales como la misa, el motete o un himno; composiciones que persiguen determinada finalidad litúrgica al alcance de los fieles, a quienes se propone conmover con su riqueza sonora.

Cuenta la tradición que en 1562 el Concilio de Trento estudió el problema de la música sacra, gravemente contaminada del espíritu profano, lo cual llevó a varios obispos a proponer lisa y llanamente la supresión de la música polifónica en los oficios religiosos. Felizmente, Palestrina, alarmado por esa demanda, había compuesto la *Misa del Papa Marcelo* dedicada al pontífice reinante. La *Misa* escuchada por Marcelo II y numerosos cardenales hizo cambiar las opiniones adversas, y se decidió continuar empleando la música polifónica.

La producción de Palestrina fue copiosa: cien misas (de cuatro, cinco, seis y ocho voces), quinientos motetes, himnos, ofertorios, lamentaciones, letanías, salmos, magnificat, tres salve reginas, canciones y madrigales espirituales y además unas cien composiciones entre madrigales y canciones profanas.

El barroco pasó de lo lineal a lo pictórico, con todas sus consecuencias; de una presentación por planos, de la profundidad de la forma cerrada, a la abierta; de la pluralidad a la unidad.

Echa mano de todos los materiales: labra mármoles, prodiga el oro, la plata, el bronce, las maderas finas y los marfiles. Aprovecha los monumentos antiguos como el Panteón, la columna Trajana y el Obelisco de San Pedro y da a lo plástico su más ambicioso empuje en la Basílica Vaticana, la más grande de la Sorbona. Análogas son la de Val de Grace construida por Jules Hardouin Mansar entre 1645 y 1665, y la de San Pablo y San Luis, por Marta Ilange en 1655.

Con el *Retrato de Richelieu*, Philippe de Champaigne (1602-1674) introduce el tratamiento barroco de las ropas agitadas. En los pastores de Arcadia y el *Rapto de San Pablo* Poussin sigue el camino de Domenichino.

El jesuita Francisco Bautista encarna la transición entre la escuela herreriana y el barroco. Partidario de

*Portada principal de la Iglesia de San Francisco Xavier.*
*Museo del Virreinato, Tepotzotlán,*
*Estado de México. Siglos XVII y XVIII.*

Vignola, construye entre 1626 y 1651 el templo de San Isidro el Real de Madrid, aun cuando el proyecto se debió al jesuita Pedro Sánchez. El nuevo estilo se imponía porque el de Herrera no ofrecía posibilidades de superación alcanzada su mayestática simplicidad.

La introducción del barroco en España se atribuye al italiano Giambattista Crescenzi. Participó en el concurso para la decoración del Panteón del Escorial y consiguió la aceptación de su proyecto; trajo entonces de su tierra a vaciadores y doradores. Pero su barroquismo sólo es apreciable en los detalles ornamentales. Junto con el arquitecto español Juan Gómez de la Mora elaboró los planos del Palacio del Buen Retiro.

Convencido del talento de Gómez de la Mora, Felipe III nombró en 1611 a Juan Gómez de la Mora "maestro trazador mayor". Por encargo de la reina hizo la iglesia y el monasterio de monjas agustinas en Madrid. En 1612 trabajó en las Descalzas Reales y en 1615, en la iglesia de San Gil, destruida durante la guerra de Independencia. En 1617 proyectó su obra principal, el Colegio de Jesuitas de Salamanca, terminado hasta 1655 por García Quiñones. En 1617 presentó los proyectos de la Plaza Mayor de Madrid, que se terminó con sus soportales en 1619. Su última obra fue el proyecto de Ayuntamiento y cárcel de Madrid, hacia 1640. Gómez de Mora murió en 1648. Su dilatada obra inicia propiamente el barroco en España.

En México, el arquitecto más importante es José de Churriguera (1650-1725), quien formó escuela; entre sus discípulos figuran, amén de varios de sus familiares, los notables arquitectos Pedro Ribera, Narciso Tomé y Jerónimo de Balbás. En la vecindad de Madrid, y a petición de su amigo el poderoso don Juan de Goyeneche, levantó Churriguera, entre 1709 y 1713, un pueblo entero denominado Nuevo Bazán. Para la misma familia construyó en la calle de Alcalá el palacio que actualmente ocupa la Academia de Bellas Artes de Madrid. En Salamanca se apreciaba mucho a Churriguera, desde que en 1693 labró ahí el retablo de San Esteban. Además, hizo el magnífico remate del Colegio de Jesuitas iniciado por Gómez de la Mora y participó en la construcción de la Plaza Mayor de Salamanca.

Además de arquitecto, Jerónimo de Balbás era escultor, probablemente de ascendencia asturiana. Por 1707 le fue encargado el gran retablo del Sagrario de Sevilla, considerado el más audaz y suntuoso de España, pero desafortunadamente destruido en 1824. Más adelante hizo la sillería del coro en la parroquia de Marchena y posiblemente los retablos de San Lorenzo, en Cádiz. Debemos a Ceán Bermúdez, enemigo del barroco —y por eso más interesante su juicio— la información sobre el retablo antes mencionado, en su *Descripción de la Catedral de Sevilla:* "Costó 1.227,390 reales; gran suma para aquellos tiempos, pero muy corta si se atiende a la multitud de carros de madera que comprende, el prolijo trabajo de los oficiales y el inmenso número de panes de oro que se habrán extendido sobre su abultada hojarasca. La novedad de su disposición y ornato, su magnitud extraordinaria y las muchas estatuas que contiene, todas mayores que el natural y, trabajadas por don Pedro Duque Cornejo, que era entonces el escultor más acreditado de Sevilla, admiraron la ciudad y hasta los poetas se ocuparon de elogiarle con versos muy parecidos al retablo. Estas circunstancias y la de estar colocado en el primer templo de la metrópoli, dieron motivo a que los demás profesores le adoptasen por modelo para sus obras y a que en poco tiempo las iglesias de Sevilla se viesen llenas de los despropósitos de Balbás.

"Llena el retablo todo el arco toral y ocupa todo el fondo del presbiterio, que consta de 80 pies de alto, 40 de ancho y 30 de hueco, todo revestido de pino. Rodea este inmenso recinto un zócalo de jaspe, que tiene de alto, vara y media; sobre él se levanta un basamento de madera con pedestales resaltados. Encima de ellos se levantan cuatro grandes estípites, o lo que sea, haciendo columnas, y sobre el basamento pilastras llenas de ángeles en actitudes de travesear. Sigue lo que quiere ser cornisa, rota e interrumpida, por mil partes, con entradas y salidas tortuosas, y remata con un cascarón que cubre todo el presbiterio. Sobre la extendida mesa del altar, que está aislada, descansa el tabernáculo de dos cuerpos con infinitas columnas, que no pertenecen a ningún orden de arquitectura. Detrás hay un arco grande que da comunicación al trasgrario con una ventana al frente; encima de este arco está otro con dos columnas en los lados, y en el centro la estatua de San Clemente, titular de esta capilla, arrodillado sobre un trono de nubes, vestido de pontifical y sostenido por ángeles mancebos. Más arriba hay otro nicho, que rompe la cornisa principal, y en el que aparecen la estatua colosal de Nuestra Señora de la Concepción sobre trono de ángeles.

"Entre los dos intercolumnios laterales se descubren dos puertas adornadas con cendales y otros adornos extraños, que dan comunicación a la sacristía y a otra pieza que está al frente y, sobre ellas, dos nichos con las estatuas de San Juan Bautista y de San Juan Evangelista, que tienen por remate los escudos del señor Arias, arzobispo de la diócesis, que dicen contribuyó con limosnas para esta obra. A la entrada del presbiterio, a la de las puertas laterales y a los lados del altar se presentan unas ocho o más estatuas alegóricas, colocadas sobre repisas; otras cuatro también sobre repisas, sobre el basamento, que representan a San Pedro, Santa Justa y Santa Rufina, y otras cuatro más, asimismo sobre repisas, de los santos arzobispos de esta iglesia, colocados delante de los cuatro estípites, de manera que ninguna descansa sobre el macizo. Restan otras estatuas de mancebos colocadas encima de la cornisa en actitudes violentas, llevando torres en las manos, pozos, ciudades y otros atributos propios de la Virgen.

"Siguen después... pero ¿a dónde voy con una explicación que yo mismo no comprendo, aunque estoy a la vista del propio retablo? Basta decir que no siendo suficiente espacio el inmenso de este presbiterio para que Balbás (?) extendiese las alas de su furibunda fantasía, montó el arco toral y encaramó sobre él una espantosa y colosal estatua del Padre Eterno, con acompañamiento de ángeles, que llega hasta cerca del anillo de la media naranja, y como la escultura, pesada por su naturaleza, no le ayudase tanto como él necesitaba para explayarse por aquella elevación, imploró el auxilio de la pintura que, como más ligera, le prestó más ángeles y más resplandores, pintados en tablas recortadas por don Lucas Valdés, con lo que pudo llenar aquel vacío".[12]

El encargo hecho a Balbán en México, el año de 1718, de los retablos del Perdón, el de los Reyes y el Mayor o Ciprés para nuestra Catedral Metropolitana, prueban su llegada a la Nueva España, cuando menos

---

[12] Ceán Bermúdez. *Descripción de la Catedral de Sevilla*, editado en 1804 y citado por el arquitecto Víctor Manuel Villegas en su obra *El Gran Signo Formal del Barroco*. Imprenta Universitaria, UNAM, México, 1956, p. 1302.

por aquel año. En 1728 hizo proyectos para la iglesia del Hospital Real y en ese mismo año fue al puerto de Acapulco a recibir la reja del Coro de la Catedral de México, que dejó instalada en 1730. Por 1738 había terminado los retablos de la Catedral y también el de la capilla del Tercer Orden en el atrio del convento de San Francisco, de lo cual dio noticia *La Gaceta de México* en 1732. Por otra parte, elaboró un proyecto para la Casa de Moneda que, según opinión de alguno que lo vio, "más parecía retablo de iglesia que fachada de casa". En 1761 se encuentra en Sevilla dibujando la custodia de la catedral de dicha ciudad.

# 3

## EL BARROCO EN MEXICO

> "La grande América ·es:
> oro en venas
> sus huesos plata..."
>
> **Góngora**

Tratando de materializar los sueños de Colón de encontrar la ruta hacia las Islas de la Especiería, los españoles, que partieron de la Gran Antilla, llegaron a las costas mexicanas con la sola autorización de "rescatar"; pero allí conocieron fabulosos relatos sobre la abundancia del oro, la plata y las piedras preciosas que tenían las nuevas tierras. Pasaron del intercambio a la conquista y luego a la explotación de los fundos mineros.

Pronto se disipó la leyenda del oro fácil, pero quedó la realidad de la abundosa plata, si bien su extracción demandaba el sacrificio de las vidas de millones de indios, para que al cabo de varias generaciones se extendiese el laboreo de los "reales" a toda la América española.

Lo anterior explica la dimensión del imperio hispánico en el hemisferio occidental. Sobre una inmensa superficie de 25 millones de kilómetros cuadrados, poblado por un millar de naciones que hablaban centenares de idiomas y dialectos, la dominación española duró tres centurias. Sin ejército, casi sin marina, sólo merced a una bien estructurada burocracia, la colaboración activa de la Iglesia y la explotación refinada de las contradicciones de los grupos sociales más explotados de aquella sociedad dividida en castas, pudo medrar tan largo tiempo el dominio español en la América continental.

El hallazgo y la afanosa búsqueda de los metales preciosos lograron el milagro de la colonización. Las altísimas montañas coronadas de nieve, los torrenciales ríos, los letales pantanos, las más crueles enfermedades y las fieras y alimañas ponzoñosas, no detuvieron a los cateadores.

Diego de Ordás, uno de los capitanes de Cortés, partió de Sanlúcar de Barrameda en 1531 con tres naves bien abastadas y llevó al cabo la exploración del Orinoco —3 mil kilómetros de curso— desde su desembocadura hasta muy arriba del Meta, que desde entonces comenzó a adquirir el gran renombre que tuvo de la intrincada maraña de El Dorado. Francisco Orellana, en persecución de la misma meta de Ordás, viajó desde Guayaquil hasta la boca del Amazonas —6 mil kilómetros de recorrido— navegando una distancia tan larga y llena de aventuras como la de Cristóbal Colón.

Alvar Núñez Cabeza de Vaca, el viajero extraordinario que con unos cuantos compañeros caminó desde la Florida cruzando el Mississippi hasta llegar a Mazatlán, en el Pacífico, descubrió el Río de la Plata. Desviando su expedición, la condujo por selvas intrincadísimas, a caballo, a pie, en canoa, desde la costa del Brasil frente a la Isla de Catalina, hasta la confluencia del

*Detalle del segundo cuerpo de la portada
de la Catedral de Zacatecas que muestra la magnífica
riqueza decorativa de las columnas. Siglo XVII.*

Iguazú con el Paraná, y se convirtió así en el primer cristiano que admiró las cataratas, teniendo que, para "salvar un mal paso —nos cuenta sencillamente— de un salto que el río (Iguazú) hacía, llevar por tierra las canoas una legua a fuerza de brazos".[13]

Los mineros fueron un grupo social de energía y audacia extraordinaria; del tamaño de su ambición y de su esfuerzo, fueron también las riquezas y desengaños que cosecharon.

Fray Bartolomé de las Casas es el primero que informa sobre la actividad minera cuando nos dice que Colón llevó en su segundo viaje a la Isla Española "mucha parte de gente trabajadora... para sacar el oro de las minas".[14]

Al año siguiente, 1494, pedía a los Reyes Católicos que enviasen lavadores de oro y mineros de Almadén "para cogerlo en la arena, mas los otros para cavarlo en la tierra".[15] Los resultados fueron magros, pues el mismo Las Casas dice: "...que ninguno se halló que medrase".[16] En Cuba no se obtuvieron mejores frutos, puesto que Cortés escribía en 1526: "Antes que tuviesen la contratación. —aludía a la Nueva España— no había entre

---

[13] Alvar Núñez Cabeza de Vaca, *Naufragios y Comentarios*, Madrid, Edit. Espasa-Calpe, 1936, p. 8.

[14] P. Bartolomé de las Casas. *Historia de las Indias*. Libro I, capítulo LXVI. Fondo de Cultura Económica, México, 1951, p. 299 y siguientes.

[15] P. Bartolomé de las Casas. *Historia de las Indias*. Libro I, capítulo LXVI. Fondo de Cultura Económica, México, 1951, p. 299 y siguientes.

[16] P. Bartolomé de las Casas. *Historia de las Indias*. Libro I, capítulo LXVI. Fondo de Cultura Económica, México, 1951, p. 299 y siguientes.

todos los vecinos de las islas —las Antillas— mil pesos de oro." [17]

Colón no tuvo buena suerte en la tierra continental. En su cuarto viaje llegó a las costas de Veragua y encontró algunas muestras de oro, pero ningún resultado importante ocurrió en el Golfo de Darién ni en otras partes de Centroamérica.

Realmente la minería se inició en las tierras de México. Según nos cuenta Andrés de Tapia, Cortés recibió cerca de San Juan de Ulúa entre los obsequios de Moctezuma "una rueda de oro y otra de plata", que se asemejaban al Sol y la Luna, cada una del tamaño como de una rueda de carro, aunque no muy gruesas.

Realizada la conquista, Bernal Díaz relata que "según los libros de Moctezuma —Cortés y varios de sus compañeros— mirábamos de dónde traían los tributos de oro y dónde había minas".[18]

Las minas que se explotaron inicialmente, por 1525, fueron la de Morcillo, en el actual Jalisco, pero se abandonaron pronto; después las de Villa Espíritu Santo en Compostela, Nayarit; las de Zacualpan y Sultepec, en lo que hoy es el Estado de México y Zumpango —Guerrero— hacia 1530; las vetas de plata de Taxco —Guerrero— por 1533, y más adelante las de Tlalpujahua —Michoacán— que produjeron una gran bonanza a mediados del siglo XVIII, explotadas por don José de la Borda, asociado con don Mariano Aldaco, y la de Amatepec, México.

[17] Hernán Cortés. *Cartas de Relación*.
[18] Bernal Díaz del Castillo. *Historia Verdadera de la Conquista de la Nueva España*, Capítulo XCCCVII, p. 437. Editorial Porrúa, S. A., México, 1968.

El propio Cortés trabajó minas en Taxco, en el barrio de Cantarranas, donde instaló "con sus casas e yglesias y tres yngenios, uno de agua de moler metal con ocho mazos moliente y corriente, otro de lavar metal con sus tinas y molientes. Otro de repasar metales con su rueda y lo demás necesario".[19]

Los principales Reales de minas o "minerales", como todavía se denominan en nuestro país los lugares de explotación minera, siguieron descubriéndose y trabajándose con gran rapidez. Justamente el itinerario de la colonización corresponde al de la exploración y explotación de minerales durante toda la vida del virreinato.

Francisco Xavier de Gamboa nos describe la magnificencia del célebre minero español don Francisco de la Borda, en sus *Comentarios a las ordenanzas de minería*: "Y ha resplandecido siempre D. José de la Borda que puede señalársele como el primer minero del mundo por su vasta comprensión y grandes manejos en esta línea, en consorcio con su hermano D. Francisco, y por sí solo trabajando en varios Minerales, alternándosele sucesos prósperos y adversos; y últimamente en el Tasco, donde ha construido y dotado con tanta liberalidad y magnificencia la iglesia parroquial, custodia de pedrería riquísima, ornamentos, vasos sagrados y todo el servicio de la iglesia de plata y oro, que el Papa Benedicto XIV por su Breve, dado en Roma a 4 de marzo de 1754 le colmó de alabanzas y bendiciones por tan plausibles hechos en obsequio de Dios, veneración y ornato de sus templos.

[19] Archivo General de Indias. Manuscrito copiado por Dn. Francisco del Paso y Troncoso. Citado por Modesto Bargalló en su libro *Minería y Metalurgia en la América Española Durante la Epoca Colonial*. Fondo de Cultura Económica. México, 1955, p. 57.

Y últimamente, ha escrito a la Corte el Dr. D. Manuel Antonio Rojo, Arzobispo de Manila, haber admirado tan rara y sobresaliente obra al tiempo que pasó a ofrecer los primeros cultos en aquel templo, antes de partirse para su arzobispado, explicándose con estas voces en carta de 15 de marzo de 1750: «He abordado a Tasco para las funciones de la Dedicación de la parroquia, obra magnífica de D. José de la Borda: en la arquitectura perfecta y hermosa; en su adorno, tan completa y rica en sus preciosos muebles que dudo haya en la cristiandad otra igual; llega a un millón lo que ha erogado; pero su piedad heroica y humildad rarísima son aún mayores que sus grandes obras; ni en una lápida ni alhaja se encuentra vestigio de ser el benefactor; pero ellas por su magnificencia lo publican»." [20]

Otro minero de cuya generosidad se hicieron lenguas las *Gacetas,* fue don Antonio Obregón y Alcocer, más tarde Conde de la Valenciana, quien en 1760 logró después de crecidos gastos e ímprobos trabajos explotar vetas muy ricas. El padre Marmolejo en sus efemérides consigna que en los años de 1789 y 1790, "las minas de Guanajuato y singularmente La Valenciana, se encuentran prosperando tan opulentamente que puede sin hipérbole decirse que causan la admiración del mundo".[21] Humboldt, que conoció la magnitud de los trabajos, pues

[20] Alejandro de Humboldt. *Ensayo Político sobre el Reino de la Nueva España.* Editorial Porrúa, S. A., México, 1966, p. 353.
[21] Tomás Gage. *Nueva Relación de las Indias Occidentales o Viajes de Tomás Gage,* citado por don Antonio de Valle Arizpe en su *Historia de la Ciudad de México,* Editorial Robredo, México, 1946, p. 324.

visitó el tiro de *Nuestra Señora de Guadalupe* que llegó a la profundidad de 345 metros y el pozo *Señor San José* a la hondura de 514 metros, rindió homenaje al minero excepcional en su *Ensayo político de la Nueva España*.

Don Antonio de Obregón y Alcocer obtuvo licencia del Sumo Pontífice para edificar un templo dedicado a San Cayetano Confesor, el cual se comenzó en 1765 y se concluyó hasta 1788, ya muerto su fundador. Estos dos casos, que no fueron los únicos aun cuando sí los más relevantes, bastan para comprender la magnificencia y poder económico de los mineros, al cual se emparejaba el de los latifundistas, como Hernán Cortés, Marqués del Valle, y el Marqués de Aguayo, que llegaron a poseer enormes superficies.

No hay exageración alguna en lo que el viajero inglés Tomás Gage dijo de la capital de la Nueva España y del lujo de sus habitantes: "En la época de mi residencia en México, se decía que el número de los habitantes españoles llegaba a cuarenta mil, todos tan vanos y tan ricos, que más de la mitad tenía coche, de suerte que se vería por muy cierto que había en ese tiempo en la ciudad más de quince mil coches.

Es refrán en el país que en México se hallan cuatro cosas hermosas: las mujeres, los vestidos, los caballos y las calles. Podría añadirse la quinta que serían los trenes de la nobleza, que son mucho más espléndidos y costosos que los de la corte de Madrid y de todos los otros reinos de Europa, porque no se perdonan para enriquecerlos ni el oro, ni la plata, ni las piedras preciosas; ni el brocado de oro, ni las exquisitas sedas de China.

"Realzan aún más la natural hermosura de los caballos, los arneses tachonados de piedras preciosas, las herraduras de plata y cuanto pueda hacer más suntuoso y magnífico su aderezo.

"Los hombres y las mujeres gastan extraordinariamente en el vestir, y sus ropas son por común de seda, no sirviéndose de paño, ni de camelote, ni de telas semejantes.

"Las piedras preciosas y las perlas están allí tan en uso y tienen en eso tanta vanidad, que nada hay más de sobra que ver cordones y hebillas de diamantes en los sombreros de los señores y cintillos de perlas en los de menestreles y gente de oficio. Hasta las negras y las esclavas atezadas tienen sus joyas y no hay una que salga sin su collar y brazaletes o pulseras de perlas y sus pendientes con alguna piedra preciosa." [22]

El caballero italiano Juan Francisco Gemelli Carreri, gran viajero y curioso, visitó México en 1697. Sobre las dotaciones de los ricos a las parroquias, nos da interesante noticia: "En el curso de este siglo se han formado muchos de estos establecimientos-conventos. Don Melchor de Cuéllar empleó seiscientos mil pesos tanto en construir como en dotar el convento de los carmelitas que se nombra la Ermita o el Desierto, a corta distancia de México, y su mujer fundó para la misma orden un colegio que tiene el nombre de Santo Angel. Diego del Castillo, que había venido de España muy pobre y había empezado a hacer su fortuna en el oficio de calderero, construyó el convento de los PP. de San Pedro Alcán-

[22] Tomás Gage, "México en 1625". Antonio del Valle Arizpe, en *Historia de la ciudad de México según los relatos de sus Cronistas*, México, Edit. Pedro Robredo, 1946, pp. 324-326.

tara, el de los religiosos de San Francisco y el de Santa
Inés, lo que no le impidió dejar cuando murió un millón
a una doncella que había criado de limosna. José de
Retes, después de haber fundado un convento de religiosas con el título de San Bernardo, dejó también un
millón a su hija. Don Francisco Canales, Caballero de la
Orden de Calatrava, dejó por heredera a su mujer de toda
su hacienda, que era de seiscientos mil pesos, y esta señora, aunque joven, despreció todos los partidos que se le
hicieron de casamiento, distribuyó todos los bienes a los
pobres, se hizo religiosa en 1695 y fundó el Convento
de las Capuchinas. Simón de Haro, que también vino
pobre de España, fundó el de la Concepción. Alvaro de
Lorenzana, asimismo pobre a su arribo, edificó el famoso
convento de monjas de la Encarnación. Después una religiosa de este convento fundó el de Balvanera. Juan
Navarro Prestán ganó tanto dinero en la profesión de
maestro de coches, que hizo edificar el convento de San
José de Gracia y el de la Concepción, ambos de monjas.
Esteban de Molina Mosquera, después de haber construido el convento de las carmelitas, dejó todavía a su
muerte cien mil pesos. Don Marcos Guevara costeó los
acueductos de México, cuyas arcadas son en tan gran
número, en el espacio de una legua, que el gasto debe
haber sido prodigioso... La Concepción es un célebre
convento de mujeres cuyo número no pasa de ochenta
y cinco, pero tienen más de cien criadas a su servicio,
porque en la mayor parte de los monasterios de la Nueva
España no se vive en comunidad. Cada religiosa recibe
de la mesa común con que ocurrir a su manutención, y
puede tener hasta cinco o seis criadas. Los edificios y la
iglesia de esta casa son magníficos. El convento de
la Encarnación es de una grandeza extraordinaria, por lo

*La Capilla del Rosario, que forma parte
de la Iglesia de Santo Domingo, Puebla,
es llamada la "octava maravilla del mundo",
por la extraordinaria riqueza de su decorado.
Siglo XVII.*

que contiene más de cien religiosas y más de trescientas criadas." [23]

Estos observadores viajeros nos dan a conocer la opulencia de los grandes señores novohispanos que empleaban buena parte de su riqueza en engrosar las de la Iglesia, cuyo predominio en aquella sociedad era absoluto, pues tanto para esta vida como para la eterna, era menester la buena relación con ella y sus ministros, pues cualquier remiso o tibio quedaba fuera de la comunidad y, naturalmente, de la gloria eterna.

No debe olvidarse, además, la función que en el terreno económico desempeñaba la Iglesia. Un testigo de la mayor excepción, don Lucas Alamán, nos dice sobre este particular: "La riqueza del clero no consistía tanto en las fincas que poseía, aunque éstas eran muchas, especialmente urbanas en las ciudades principales como Méjico, Puebla y otras, sino en los capitales impuestos a censo redimible sobre las de los particulares, y el tráfico de dinero por la imposición y redención de estos caudales, hacía que cada juzgado de capellanía, cada cofradía, fuese una especie de banco. La totalidad de las propiedades del clero tanto secular como regular, así en fincas como en esta clase de créditos, no bajaba ciertamente de la mitad del valor total de los bienes raíces del país." [24]

Flores Caballero repite la información de Abad y Queipo, quien estimaba que la Iglesia contaba como su

[23] Juan Francisco Gamelli. *Viaje a la Nueva España a fines del Siglo XVIII,* traducido por José María Agreda y Sánchez. Libro Mex Editores, S. de R. L., México, 1955, pp. 170 a 173.

[24] Lucas Alamán, *Historia de Méjico,* México, Edit. Jus, 1968, T. I. p. 51.

riqueza principal en el capital y réditos de los empréstitos que hacía a comerciantes, agricultores y mineros; que Ortiz Ayala consideraba que los bienes raíces que poseía la Iglesia no pasaban de 5 millones, pero creía que en 1804 era dueña de 45 millones en obras pías, capellanías, legados y dotaciones de conventos hipotecados sobre propiedades particulares. Mora opinaba que Humboldt equivocaba las estimaciones por no haber tomado en cuenta información de todos los obispados; creía que era necesario convenir en "más del duplo", por lo que la suma no bajaba de 75 a 80 millones de *duros,* aunque incluía los ingresos de las instituciones regulares, debido a legados testamentarios que tenían el mismo objeto y motivo que las capellanías y las obras pías.[25]

No resulta entonces extraña la conducta de aquella Iglesia opulenta cuando destinaba sumas muy cuantiosas al embellecimiento de catedrales y parroquias. El Emperador Carlos V en una cédula correspondiente al año de 1544 dice al virrey: "...bien sabíamos y nos era notorio cuán grande e insigne pueblo era esa ciudad y que era la mejor de la tierra que hay en toda la provincia de esa Nueva España, y cuán justo y conveniente era que la Iglesia Catedral de ella se hiciese muy buena y suntuosa ansí para la decencia y autoridad del culto divino, como para que quepa la gente que ocurre a ella, y para la conversión de los indios e imprimir la santa fe católica en ellos, los cuales solían tener muy grandes y solemnes casas y edificios para sus ídolos y vanas idolatrías y supersticiones e para quitarles de su error e ignorancia antigua y atraerlos a la verdadera luz aprove-

[25] José María Luis Mora, *México y sus revoluciones.* 2a. ed., México, Edit. Porrúa, 1965, T. I. pp. 453-454.

chaba mucho la suntuosidad de las iglesias y la autoridad con que se administraban los oficios divinos, e que la Iglesia Mayor y Catedral que agora hay en esa dicha ciudad está hecha de prestado para entre tanto que se hace iglesia de propósito con la autoridad y suntuosidad de edificios y grandeza que convenga..." [26]

En el Códice Franciscano leemos: "Mas finalmente, con el cuidado de que con ellos ponen los Religiosos, se cantan las misas y oficios divinos por la mayor parte en todas las iglesias que tienen monasterios, en canto llano y en canto de órgano, con buena consonancia, y en algunos pueblos particulares adonde hay más curiosidad y posibilidad, se hacen los Oficios de la Iglesia con tanta solemnidad y aparato de música como en muchas iglesias Catedrales de España. El canto de órgano es ordinario en cada iglesia, y la música de flautas y chirimías muy común. En muchas partes usan de dulzainas, orlas, vihuelas de arcos y de otros géneros de menestriles, y también hay ya algunos órganos, y todos estos instrumentos tañen los indios, y toda esta armonía es de grandísimo provecho entre ellos para su cristiandad, y muy necesario al ornato y aparato de las iglesias para levantarles el espíritu y moverlos a las cosas de Dios, porque su natural que es tibio y olvidadizo de las cosas interiores, ha menester ser ayudado de la apariencia exterior; y a esta causa los que los gobernaban en tiempo de su infidelidad los ocupaban lo más del tiempo en edificación de sumptuosos templos, y en adornarlos mucho de rosas y flores, demás del oro y plata que tenían, en muchos

---

[26] Alberto María Carreño, *Un desconocido cedulario del siglo XVI perteneciente a la Catedral Metropolitana de México*, México, Edic. Victoria, 1944, p. 191.

sacrificios y ceremonias, más duras y recias que las de la ley de Moisén." [27]

Con toda razón Ricard nos dice que con muy buen juicio proselitista para retener y hacerles gustar a los indios la práctica religiosa, era necesario darle al culto el mayor esplendor posible. La experiencia demostró que la suntuosidad no sólo ejercía embrujo sobre los indios, sino también sobre los españoles, criollos, mestizos y las diversas castas, en una palabra, sobre todos los sectores de la sociedad virreinal. [28]

Tanto Zumárraga, primer obispo y arzobispo de México, el 8 de febrero de 1537, como el virrey don Luis de Velasco el 1º de febrero de 1558, al dirigirse al Consejo de Indias informaron que el ornato y pompa de los oficios, procesiones y fiestas de todas clases, ejercían una particular fascinación sobre los indígenas.

A las ceremonias siguieron las construcciones. Lebrón de Quiñones informaba en 1554 al "Príncipe Prudente" don Felipe: "grande es la soberbia y sumptuosidad de obras que en algunos monasterios en los edificios de ellos se hacían". Cervantes de Salazar dice del de los dominicos que conoció: "El monasterio es muy grande, tiene un templo de una sola nave, de las mayores que yo he visto." [29]

Como se sabe, los agustinos fueron los que levantaron los monasterios e iglesias más grandiosos: "Hemos

[27] *Códice Franciscano, siglo XVI*. Editorial Salvador Chávez Hayhoe, México, 1941, p. 58.
[28] Roberto Ricard, *La Conquista Espiritual de México*, México, Edit. Jus, 1947.
[29] Francisco Cervantes de Salazar, "Plaza Mayor en 1554". En *Historia de México según los relatos de sus cronistas*, p. 241.

fundado muchos monasterios a nuestra forma y modo, traza y orden de vivir; están los templos adornados de campanas, imágenes y retablos, música y ornamentos, limpios y aseados, ofrecidos y dedicados al Rey del cielo e para honrarlo en culto divino",[30] dijo Fray Juan Pérez de Escobar en carta de 1º de abril de 1579 dirigida a Felipe II. Fray Diego de Chávez construyó un espléndido convento en Yuriria, al cual el cronista agustiniano González de la Puente comparaba con El Escorial. Tan grande fue el gasto que el virrey marqués de Falces se irritó al conocer la magnitud de los mismos.

En la provincia de Meztitlán se construyeron dos fastuosos conventos para albergar a no más de cuatro frailes en cada uno de ellos. La casa de los agustinos en Morelia es uno de los más amplios que se construyeron, y el convento de México, del cual sólo quedan pobres restos en lo que hoy es la Biblioteca Nacional, era calificado de "sumptuosisimo" pues se le reputaba como el más rico de la Nueva España.

La magnificencia y gastos que representaban las obras agustinas llevaron en 1570 al Capítulo de la Catedral de Guadalajara a escribir al rey Felipe II que "si los religiosos de Sancto Agustín agora de nuevo hiziesen monasterio, los pocos naturales que ay se acabarían con la suntuosidad que procuran tener en estas partes de templos y casas".[31]

---

[30] Francisco Cervantes de Salazar. *México en 1554*. Biblioteca del Estudiante Universitario, UNAM, México, 1939, p. 51.
[31] Fray Matías de Escobar. *Americana Thebaida Vilas Patrum de los Religiosos Hermitaños de N. P. San Agustín de la Provincia de San Nicolás Tolentino de Michoacán*. Año de 1729. Reimpreso en México en 1929. Citado por Manuel Toussaint en su obra *Arte Colonial de México*. Imprenta Universitaria, UNAM, México, 1962, pp. 117, 131 y 254.

Ni los franciscanos, a quienes su seráfico fundador señaló reglas de pobreza muy severas, escaparon a la costumbre general. La Capilla de San José de los Naturales en México, tenía siete altares, un magnífico pórtico con profusión de columnas de enorme dimensión, que daba a los indios la idea de la grandiosidad de la nueva religión.

Las ceremonias del culto iban casi siempre acompañadas de música y canto. Las orquestas poseían copioso instrumental, del cual nos informa el padre Motolinía: flautas, clarines, cornetines, trompetas real y bastarda; pífanos, trombones; la jabela o flauta morisca, la chirimía, la dulzaina, el sacabuche, el orlo, el rabel, la vihuela de aro y el atabal.[32]

La formación de músicos y cantores fue muy extendida, pues los indios aprendieron a hacer los instrumentos y a tocarlos, llegando inclusive a construir, en Michoacán, un órgano de tubos de madera, según nos informa Basalenque.[33]

Los cantores, de voces educadas, ejecutaban en las lenguas indígenas, en castellano e incluso en latín toda clase de himnos, acompañamientos de misas, letanías, *miserere* y oficios de difuntos.

Los músicos y cantores alcanzaron una situación privilegiada en sus respectivos pueblos, abusando de ella al

[32] *Memoristas de Fray Toribio de Benavente o Motolinía. Memoristas o Libro de las Cosas de la Nueva España y de los Naturales de ella,* México, Instituto de Investigaciones Históricas, UNAM, 1971, p. 238.

[33] Fray Diego Basalenque, *Historia de la Provincia de San Nicolás Tolentino de Michoacán, del Orden de San Agustín,* México, Edit. Jus, 1963, p. 115.

grado de que obligaron al Concilio de 1555 a dictar severas prescripciones. Felipe II, en su cédula del 19 de febrero de 1561, trató de limitar los abusos, pero no lo logró; fue en realidad la falta de recursos lo que a la postre limitó el número de cantores y músicos.

Las procesiones constituyeron otro de los procedimientos empleados copiosamente. En su institución mediaron muy tempranamente las cofradías, que eran las organizadoras; la primera, creada por fray Pedro de Gante antes de que llegara Zumárraga, fue la Cofradía del Santísimo Sacramento. Las procesiones eran muy numerosas pues se celebraban casi todos los domingos y días de fiesta. Zurita quedó espantado al ver una de ellas por el gasto que suponía el hecho de que cada peregrino llevara un cirio encendido. Los agustinos hacían que cada pueblo condujera en andas doradas la escultura del santo patrono de cada barrio. El día de procesión general, todos los habitantes del lugar se reunían en un sitio determinado, con sus estandartes, sus *pasos* y su orquesta, de donde partía un mar de luces encendidas. Las procesiones duraban todo el año y agrupaban a todas las personas, sin distinción de clases ni edades.

Se hizo además otro cambio: las fiestas paganas se convirtieron en religiosas. El padre Acosta aconsejaba que "no es bien quitárselas a los indios, sino procurar no se mezcle superstición alguna". Y exponía su propia experiencia: "En Tepotzotlán que es un pueblo siete leguas de México, vi hacer el baile o mitote, que he dicho, en el patio de la Iglesia, y me pareció bien ocupar y entretener a los indios los días de fiesta, pues tienen necesidad de alguna recreación; y en aquella que es pública y sin perjuicio de nadie hay menos inconvenientes

*Portada del Santuario de Ocotlán; Tlaxcala.
Es uno de los monumentos barrocos más bellos
de la América Española.*

que en otras, que podían hacer a sus solas, si se les quitasen éstas." [34]

Caso parecido es el de las peregrinaciones a los santuarios. Los españoles tenían una larga experiencia con las que se realizaron durante la Edad Media y después a Santiago de Compostela, de manera que ponerlas en práctica en México no significó para ellos una novedad. La más importante es la que todavía se celebra anualmente en los primeros días de diciembre y que culmina el 12 del mismo mes, en veneración a la Virgen de Guadalupe, cuyo culto se impuso después de una acerba disputa entre el clero secular y el regular, ya que este último se oponía por considerarlo una devoción disfrazada de idolatría. No debe olvidarse que la parroquia de Guadalupe estaba servida por el clero secular y que los arzobispos Zumárraga y Montúfar lo fomentaron y favorecieron. Además del de Guadalupe, hay otros santuarios, como el de Chalma, meta de peregrinaciones anuales.

Tanto el maestro Toussaint como, sobre todo, el doctor Justino Fernández destacan que la característica del arte barroco, fuese religioso o civil, era su grandiosidad y lujo, que no se limitaba a la capital del virreinato sino que se extendía a las grandes ciudades como Puebla, Guadalajara, Querétaro, Zacatecas, Guanajuato, Morelia, San Luis Potosí y llegaba hasta Chihuahua. "Se trata —dice el doctor Fernández— de una expresión profunda de afirmación del ser americano como diferente, singular y aun superior al de Europa misma; se trata de la necesidad espiritual de ser sí mismo y se es superior igua-

[34] P. José de Acosta. *Historia Natural y Moral de las Indias.* Cap. XI, p. 214.

lando y superando a Europa, que es como si se dijera: yo soy yo siendo igual a ti y aun superior a ti. Y éste es el motor y el incentivo de la estética novohispana que, claro está, es moderna. La expresión estética tiene dos periodos en el lapso que estudiamos: uno clasicista, perteneciente a conceptos renacentistas, y otro barroco, o sea perteneciente a la posterior expresión moderna." [35]

Fue en el campo de la creación artística donde se manifestó la nueva nación, que no es española, ni criolla, ni india, ni perteneciente a las castas, sino mexicana, fusión de razas y culturas. Se ha dicho que el barroco es la paganización del arte; en México esto significa la presencia de los dioses antiguos, de Coatlicue, con todas sus implicaciones morales, filosóficas y religiosas. Y también esa paganización señala la caudalosa contribución del oriente fabuloso, ya que México era el lugar de tránsito y comercio de todo lo que China, Japón, India e Indonesia enviaban en el Galeón de Manila a la metrópoli y a la Nueva España.

La sensación de esa fusión nos lo dice la voz más alta de la nueva nación que se formaba en la matriz virreinal, Sor Juana Inés de la Cruz:

> *¿Qué mágicas infusiones*
> *de los indios herbolarios*
> *de mi Patria, entre las letras*
> *el hechizo derramaron?*

Henríquez Ureña, Alfonso Reyes y Valbuena Prat

[35] Justino Fernández, *Arte Moderno y Contemporáneo de México*, México, Instituto de Investigaciones Estéticas de la UNAM, 1952, p. 20.

han señalado esa primera manifestación de lo que estaba naciendo: la mexicanidad espiritual.

La robusta individualidad del barroco mexicano tomó ese carácter y esa dimensión, porque fue el primer medio de expresión de la nueva nacionalidad; todas las energías que la estaban formando, encontraron en ese estilo la mejor manera de expresarse. El barroco se diferenciaba del arte metropolitano especialmente por su riquísima variante de lo que ha dado en llamarse barroco popular, cuyos más logrados frutos son las iglesias de Tonanzintla, Tepotzotlán y Santa María Ocotlán.

El año de 1963 el Instituto de Investigaciones Históricas y Estéticas de la Universidad de Caracas llevó al cabo una encuesta epistolar sobre el importantísimo tema del barroco en las tierras americanas. Las respuestas obtenidas fueron obligadamente breves y generales. Sin embargo, la mayoría de los especialistas que contestaron, estimó que el barroco hispanoamericano posee una personalidad definida. La opinión minoritaria considera que, por el contrario, el barroco de la América Hispana forma parte del español, dentro de cuyo ámbito imperial se realizó. El arquitecto Graziani Gasparini, de la universidad caraqueña, en el artículo "Significación de la arquitectura barroca en Hispanoamérica", publicado en 1965, dijo que el barroco americano es aceptable únicamente en su ornamentalidad y que esto no basta para considerarlo separado del español, pues no creó formas nuevas ni se preocupó de los problemas especiales.

Estamos de acuerdo con la aguda investigadora Elisa Vargas Lugo cuando afirma la individualidad del barroco mexicano, aunque se derive del español, como éste, a su vez, del italiano. Mostrando un profundo conocimiento del barroco mexicano, Vargas Lugo lo considera diferente al español y establece dentro de nuestro territorio diferencias regionales muy apreciables, manifestadas tanto en el empleo de determinados elementos arquitectónicos y ornamentales, como en los materiales utilizados; por ejemplo, en México el tezontle y en Puebla el ladrillo y los azulejos.

La arquitectura religiosa de México dio soluciones propias a los problemas creados por las formas peculiares del culto. El problema principal era la afluencia masiva de neófitos de todas las edades; la respuesta puede apreciarse en la capilla abierta o "de indios", o bien en capilla poza, cuya funcionalidad está mostrada plásticamente en un grabado de Fray Diego Valadés: construcciones levantadas en numerosos atrios, de las cuales sólo restan muestras de Calpan, Huejotzingo, Cholula, y la tercera manifestación, ampliamente estudiada por Vargas Lugo, se encuentra en las numerosas portadas religiosas que, según dicha investigadora, "reflejan los cambios de las modas artísticas y la riqueza de sus constructores".[36]

Al espectador contemporáneo le pueden atraer fachadas, altares, cuadros y estatuas por sus valores estéticos y, de acuerdo con su gusto y su cultura, puede o no interesarse y hasta emocionarse. Ignora u olvida la función que los artistas y artesanos y quienes les encomendaron esas obras, perseguían con esas creaciones.

Ya en otra parte nos hemos ocupado del papel esencial que se le encomendaba al barroco por parte de los grandes dirigentes eclesiásticos: atraer, emocionar, convencer, conquistar. En el Nuevo Mundo, la religión católica tenía que ganar millones de almas y de brazos

---

[36] Elisa Vargas Lugo, *op. cit.,* p. 80.

para el trabajo. Y como recompensa de la dura vida de entonces, se prometía la bienaventuranza, la gloria eterna en la otra existencia: la verdadera, para lo cual era menester reconciliar el alma con su creador. De ahí que las fachadas y los retablos fuesen lecciones permanentes de teología, al alcance de los creyentes.

El doctor Justino Fernández consagró buena parte de uno de sus libros fundamentales al estudio del Retablo de los Reyes de la Catedral Metropolitana. Constantino Reyes Valerio ha dedicado dos destacados trabajos a una empresa similar; en el primero, *Trilogía Barroca* y en el segundo, *Tepalcingo,* echa mano inclusive de diagramas e informa al lector del propósito que inspiró las fachadas de la iglesia del pueblo de Santa María Jolalpan, la del templo de San Lucas Tzicatlán y el de Santa María Tlancualpican: ofrecer una lección de religión a los creyentes. En Tepalcingo se edificó un santuario destinado al culto de Jesús Nazareno, cuya imagen es venerada en ese lugar, a donde periódicamente van peregrinaciones de lugares cercanos.

Sobre la imaginería del imafronte de Tepalcingo, Reyes Valerio dice: "Al estudiar la imaginería del imafronte tepalcinca es posible darse cuenta de la sabiduría de su creador. Cada uno de los personajes y símbolos que lo integran, ha sido colocado de acuerdo con la idea directora y fielmente apegada a la intención del teólogo que lo ha manejado sabiamente, para integrar una página que sintetiza de modo perfecto la doctrina de la Iglesia, esto es: Jesucristo ha venido al mundo para restaurar en el hombre la imagen y semejanza con que fue creado y para salvarlo del pecado cometido al contravenir el mandato divino, instigado por el mal que simboliza la serpiente, que prometiera a Adán y a Eva «ser

como dioses, conocedores de *todo,* del bien y del mal».
(Génesis, III, 5.)

"Jesucristo pues ha padecido en el mundo para mostrar al hombre que él es: «el Camino, la Verdad y la Vida» (*Juan,* XIV, 6). Mas para gozar de la beatitud celestial es necesario reparar la falta y estar en gracia para así convertirse en «nueva criatura» mediante el Bautismo que es un *morir* el pecado y resurgir a la vida por mediación del: «mismo Hijo de Dios verdadero, que él sí hace a sus hermanos a su imagen y se convierte en cabeza de todos ellos, como lo fue y es Adán naturalmente. . . (porque). . . en la nueva criatura, a la imagen de Adán, se añade sobrenaturalmente la imagen de este nuevo Adán» (según dice el teólogo Gallegos Rocafull en su obra *La nueva criatura,* página 93), que es Cristo. De ahí, pues, que para poder participar del cuerpo místico de Jesús sea necesario el bautismo, ya que: «no puede entrar en el reino de Dios sino aquel que fuere renacido de agua y de Espíritu Santo. Lo que es nacido de carne, carne es; y lo que es nacido de espíritu, espíritu es». (Juan, III, 56).

"El simbolismo trabaja reiteradamente sobre esta idea de vida y muerte y de ella parte para hilvanar la lección que muestra en la fachada, porque morir en Cristo es renacer en él ya que: «ésta es la voluntad del que me ha enviado: todo aquel que ve al Hijo y cree en él, tenga vida eterna y yo lo resucitaré en el día postrero». (Juan, VI. 39-40). Ahora bien, el pecado sólo puede ser vencido *sepultándolo* mediante la gracia primera del *bautismo* y después por la creencia de que así: «como Cristo resucitó de muerte a vida por la gloria del Padre, así también (es necesario que) nosotros andemos en novedad de vida» (Romanos, VI, 4-5).

"Valiéndose de triángulos (Diagrama 1) el sacerdote y sus artistas elaboraron cuatro temas en que se descompone la obra: Caída y Redención del hombre o Ciclo de la Flaqueza, Pasión de Jesucristo a consecuencia de lo anterior, Doctrina, medio para salvarse y la Misericordia Divina que atestigua la bondad del Creador que nunca abandona a sus creaturas." [37]

Pero no solamente en el campo de la arquitectura, la escultura, la pintura y las artes menores, el barroco deviene arte. Un criterio superficial y jacobino ha negado valor a la creación literaria de los siglos XVI, XVII y XVIII, por ello, resulta urgente un estudio a fondo de la misma, pues forma parte de nuestra herencia cultural, dado que fueron los grandes escritores de esas centurias quienes nos han enseñado a escribir y hablar una de las lenguas más hermosas que ha creado el hombre y que nos comunica con todos los pueblos de habla española.

Poetas hubo de muy subidos quilates; el seguir el camino de Góngora no es defecto sino virtud. Que hubo poetas malos, como malos pintores y escultores, es indudable. Los padecemos hoy, a pesar del tiempo transcurrido, porque el grano va siempre junto con la paja.

Muy tempranamente comenzaron a distinguirse los mexicanos en el campo de las letras, según nos informa don Alfonso Méndez Plancarte. El doctor Juan de Cárdenas, quien más ha ahondado en este asunto, cuenta en sus *Problemas y secretos maravillosos de las Indias*: "el ingenio agudo, trascendido y delicado" de los criollos, su "hablar tan pulido, cortesano y curioso", con

---

[37] Constantino Reyes Valerio, *Tepalcingo*. México, Dirección de Monumentos Coloniales, Instituto Nacional de Antropología e Historia, 1960, pp. 28-29.

*Interior de la Iglesia de Santo Domingo; Oaxaca.*
*Barroco del siglo XVII.*

"delicadeza y estilo retórico no enseñado sino natural", sobre todo para "decir un primor... o una razón bien limada"; comparando a dos rústicos, uno "de acá" y otro "recién venido", afirma que "al momento se conoce cuál es gachupín y cuál nacido en Indias... sólo por la ventaja que en cuanto a trascender y hablar nos hace la española gente nacida en Indias a los que de España venimos".[38]

Se habla y se escribe el castellano, pero nutrido de voces indígenas, y la pronunciación suave de los mexicanos los iguala con los indios. El paisaje, las costumbres diferentes, trazan sus propios cauces al idioma. Como ha dicho con toda razón Méndez Plancarte, Góngora descubrió un nuevo continente en el idioma y lo entregó generoso a todos los hispanohablantes. Su influjo se advierte en Fray Miguel de Guevara, el extraordinario poeta, autor de sonetos atribuidos a San Francisco Javier, a Santa Teresa de Jesús, a San Ignacio de Loyola y a otros eximios autores, cuya calidad es una gloria del idioma:

> *No me mueve, mi Dios, para quererte,*
> *el cielo que me tienes prometido;*
> *ni me mueve el infierno tan temido*
> *para dejar por eso de ofenderte.*
>
> *Tú me mueves, Señor; muéveme el verte*
> *clavado en una cruz y escarnecido;*
> *muéveme el ver tu cuerpo tan herido;*
> *muévenme tus afrentas y tu muerte.*

[38] México, 1591.

*Muéveme, en fin, tu amor, en tal manera*
*que aun cuando no hubiera cielo, yo te amara,*
*y aun cuando no hubiera infierno, te temiera.*

*No tienes que me dar porque te quiera;*
*porque aunque cuanto espero no esperara,*
*lo mismo que te quiero te quisiera.*

O en la Sor Juana Inés de la Cruz gongorina, que nos dice:

*Esta tarde, mi bien, cuando te hablaba,*
*como en tu rostro y tus acciones vía*
*que con palabras no te persuadía,*
*que el corazón me vieras deseaba;*

*y Amor, que mis intentos ayudaba,*
*venció lo que imposible parecía:*
*pues entre el llanto, que el dolor vertía,*
*el corazón deshecho destilaba.*

*Basta ya de rigores, mi bien, baste;*
*no te atormenten más celos tiranos,*
*ni el vil recelo tu quietud contraste*
*con sombras necias, con indicios vanos,*
*pues ya en líquido humor viste y tocaste*
*mi corazón deshecho entre tus manos*

# 4

## LAS TRES FASES DEL BARROCO

El impulso que llevó a labrar ricamente y esmaltar de luces y colores las iglesias de Tepotzotlán, de Santa María Tonanzintla, de la Basílica de Ocotlán; la capilla del Rosario en Puebla; la de Santa Rosa en Querétaro y decenas de otras maravillas más, encuentra su correspondencia en el lenguaje. México llegó a ser, como lo dijo en alguna ocasión Menéndez y Pelayo, la metrópoli del habla hispana en América.

El maestro Manuel Toussaint dice que el barroco comprende tres fases perfectamente definidas: "Comenzó siendo sobrio, como importado directamente de España; luego se tornó rico, al adquirir mayor preponderancia el ornato y a fines del siglo XVII alcanzó tal lujo en ciertas regiones que puede clasificarse como exuberante." [39]

El citado investigador señala que al primer tipo del barroco en nuestro país corresponden: La Iglesia de San Lorenzo; la de la Concepción; la de Balvanera, con su campanario mudéjar; la de la Encarnación; Santa Isa-

[39] Manuel Toussaint, *Arte colonial de México,* México, Instituto de Investigaciones Estéticas de la Universidad Nacional Autónoma de México, 1962, p. 102.

bel, desaparecida; la de San José de Gracia; la de Santa Catalina de Siena, y la de Santa Clara.

De los conventos de frailes señala la Iglesia de Santiago Tlatelolco; San Antonio Abad; la de Betlemitas; las casas de Puebla, con un bello ciprés; las de Morelia, la de Atlixco, hoy parroquia; las de Oaxaca, el Carmen Alto y el Carmen Bajo; la de Guadalajara y los eremitorios llamados Desiertos; el de Los Leones y el de Tenancingo; el de Churubusco; el convento de San Martín Texmelucan; los monasterios de México, de Tasco, el de Acuilapan y el de Morelia, transformado en Santuario de Guadalupe; la de Puebla, llamada Concordia; la de Guadalajara, la de Oaxaca y la de San Miguel de Allende.

El barroco rico transcurre y se expresa con grandeza, durante los siglos XVII y XVIII. En México tenemos la Iglesia de Santa Teresa la Antigua, la de San Bernardo, el magnífico templo de San Agustín, que fue recinto de la Biblioteca Nacional, trasladada luego a la Ciudad Universitaria; San José del Real, conocido como La Profesa, porque formaba parte de la casa jesuítica así llamada; Corpus Christi, actualmente Museo de Artes e Industria Populares del Instituto Nacional Indigenista, y San Juan de Dios, templo del Hospital del mismo nombre.

Puebla fue el asiento de muchas construcciones barrocas: San Ildefonso, con grandes ornatos en relieve en el interior; Santo Domingo, con espléndidas yeserías; San Cristóbal y El Calvario de Tehuacán. Toussaint y De la Maza señalan como característico de Puebla el empleo del ladrillo y del azulejo, las cornisas voladas, onduladas en sus curvas, llenas de ornato; en México, en cambio, se usó el tezontle y la piedra.

En Oaxaca debemos mencionar el templo de San Felipe, el de la Compañía, el de San Agustín y la Iglesia de la Soledad. En Jalisco contamos con el templo de Santa Mónica; la de la Santa Cruz de las Flores, en Tlaquepaque. En la zona de Tezcoco del Estado de México, hay muchas iglesias decoradas con relieves de argamasa, como la Capilla de San Antonio, de gran sabor popular e indígena; la Iglesia de la Concepción; la de la Capilla del Molino de las Flores; la de Tlaichiapan y las famosas arcadas de Papalotla. También las Catedrales de Durango y de Chihuahua son ejemplares de barroco rico.

Entre los conventos de la ciudad de México sólo resta mencionar el claustro de los mercedarios, uno de los más ricos, sito en la Iglesia de San Francisco —calle de Madero—, oculto por una casa moderna de la calle de Gante. El convento de Puebla es muy rico en relieves de argamasa. El templo de La Merced en Guadalajara es superior al de Atlixco. En el pueblo de Cuecholac, del estado de Puebla, quedan unas ruinas de una iglesia admirable cuya ornamentación muestra influencia indígena.

La cuna del barroco exuberante es Puebla, y su exponente más elevado, la Capilla del Rosario, anexa al templo de Santo Domingo, pequeña maravilla edificada merced a la devoción de los pescadores de perlas a la Virgen del Rosario, llamada no sin razón la "Octava Maravilla del Mundo", descrita emotivamente por el maestro Francisco de la Maza.

En Oaxaca se encuentra el templo de Santo Domingo, que según los historiadores fue adornado por artífices poblanos de manera extraordinaria, presenta en sus bóvedas de crucero un maravilloso relieve. La Capilla del

Rosario anexa al templo es una creación del arte popular, así como la capilla del Santo Cristo de Tlacolula.

Obras de arte popular e indígena son los templos de San Francisco Ecatepec y Santa María Tonanzintla, cerca de la ciudad de Puebla. El primero ofrece una fachada excepcional revestida de azulejos; su interior es hermoso, un trasunto de la Capilla del Rosario de Puebla, pero de profundo contenido popular e indígena. La iglesia de Santa María Tonanzintla posee un exterior más sencillo pero su interior cuenta con un ornato que, como ha dicho el maestro Toussaint "presenta el aspecto de una gruta maravillosa". Es una obra única; debido al genio y las manos indígenas, los ángeles que exornan los retablos son niños indios. Con toda razón, el maestro Francisco de la Maza llamó a Tonanzintla el "Tlalocan cristiano".

Otro magnífico ejemplo del barroco poblano nos lo ofrece la iglesia y la capilla anexa de Acatzingo, cercanas a Puebla, sobre el camino de esta ciudad a Jalapa.

Como una prolongación del barroco poblano en el estado de Tlaxcala tenemos la basílica de Nuestra Señora de Ocotlán, pueblo vecino a la ciudad de Tlaxcala. La fachada y las torres son una filigrana de estilo churrigueresco indígena. La capilla del Camarín, situada detrás del altar mayor, es obra de un solo artífice indígena, quien, según la tradición, le consagró toda su vida. Esta obra sorprende por su hermosura.

Ejemplos del barroco churrigueresco son el camarín de la Iglesia de Tepotzotlán, un verdadero joyel, y su gemelo, el de la Iglesia de San Miguel de Allende, de principios del siglo XVIII, ambas con bóvedas sobre ricos cruzados de influencia mudéjar.

La catedral de Zacatecas muestra una fachada con ornamentos a base de columnas salomónicas y una gran rosa en el centro, pero toda cubierta de finos relieves. Una de sus torres fue construida durante el virreinato y la otra posteriormente, resultando esta última tan perfecta que no se nota la diferencia de tiempo.

Tienen un valor especial los retablos, cuyo estípite en la época churrigueresca desplaza a otros estilos de columnas, siendo más ancha al centro que en su base. Los entablamientos se rompen hacia adentro o hacia afuera, suben o bajan, arrastrando al espectador en el vértigo creado por el artífice. Como ejemplos citaremos la Iglesia franciscana de Tlalmanalco; el templo de San Agustín en Oaxaca; el del Tercer Orden de Tlaxcala; el del Templo de Ozumba, en el Estado de México, y las capillas de los Angeles de la Catedral Metropolitana.

México tiene una enorme deuda con don José Benito de Churriguera (1650-1723) creador del estilo que lleva su nombre. Alcanzó a obtener el premio del concurso que se llevó al cabo en Madrid para erigir el catafalco de las honras fúnebres de la princesa María Luisa. El diseño fue de un barroco exaltado que tuvo un éxito enorme. Después terminó la torre de la Catedral de Salamanca comenzada por Gil de Hontañon; concluyó la Sacristía de la misma Iglesia; las puertas de San Sebastián y las del edificio de San Fernando (antigua Aduana); la fachada de la Iglesia de Santo Tomás en Madrid y las casas consistoriales de Salamanca.

En México sus discípulos más destacados fueron Jerónimo de Balbás, quien hizo el Altar del Perdón de la Catedral Metropolitana y el antiguo ciprés de la misma; Francisco Antonio Guerrero y Tapia, quien compuso el Santuario de Guadalupe y varias residencias de la ciudad de México; Lorenzo Rodríguez, a quien se debe el Sagrario y la Santísima de la capital, y Diego Durán, quien trabajó en Santa Prisca, Guerrero.

*Bóveda y coro de la Iglesia de Santo Domingo
en Oaxaca. Siglo XVII.*

Don José Antonio Villaseñor y Sánchez fue quien primero reseñó la ejecución de las obras de estilo churrigueresco en México en su obra *Theatro Americano*, publicada por primera vez en 1746 y reimpresa en facsimilar en abril de 1952 por la Editora Nacional; el autor dice: "el altar mayor dedicado al diez de diciembre de mil setecientos cuarenta y tres, de exquisita fábrica, y arquitectura a la moderna, dispuesto por don Jerónimo de Balbás quien asimismo fabricó el altar de los Reyes, después que dejó en Sevilla construido el retablo del Sagrario, a cuyo rico adorno ha concurrido con varias preseas de oro el Ilustrísimo Arzobispo Virrey, Dr. D. Juan Antonio de Vizarrón y Eguiarreta." [40]

En 1893, el maestro Manuel Revilla, apoyándose en el *Theatro Americano*, defendió el estilo churrigueresco, y el arquitecto Federico Mariscal en su monumental obra publicada de 1914 a 1922 señaló, como fruto de sus investigaciones, el empleo del estípite churrigueresco en la portada del Real Colegio (Chico) de San Ildefonso, reedificado entre 1712 y 1718, y después la fachada del Colegio Grande.

El 2 de septiembre de 1737 fue solemnemente inaugurado el Retablo de los Reyes de la Catedral Metropolitana debido a Jerónimo de Balbás, discípulo de Churriguera. En su disposición general parece ser igual al gran retablo que estuvo en el Sagrario de la Catedral de Sevilla, España, obra también de Balbás.

En 1585 el jesuita P. Antonio de Mendoza ordenó la fundación del Colegio y Casa Profesa de Tepotzotlán, destinado a la enseñanza de la religión, la retórica, la

[40] Villaseñor y Sánchez, J. *Theatro Americano*, México, 1748, 2a. reimp. Libro Primero, pp. 52-53.

poesía y las lenguas indígenas, mas la pobreza de recursos movió el ánimo del P. Visitador Diego de Avellaneda para trasladar a los alumnos del Noviciado, en 1597, al Colegio del Espíritu Santo de la ciudad de Puebla. Pero en 1606, gracias a la donación testamentaria de don Pedro Ruiz de Almada, de 25 mil pesos, fue posible edificar una casa conocida como el Patio de los Aljibes y Patio de Servicio. En 1650 se ordenó la construcción del Refectorio. El 25 de mayo de 1670 se inició la construcción del templo consagrado a San Francisco Javier, merced a la ayuda del P. Pedro de Medina Picazo y se dedicó el 9 de septiembre de 1682. Andando el tiempo, se agregaron los edificios de la hostería, el mirador, la biblioteca y la sala de recreo de los estudiantes.

En 1755 se elaboraron los retablos de San Francisco Javier, San Estanislao Kotska y San Luis Gonzaga, situados en el presbiterio; en 1756, los de la Virgen de Guadalupe y San Ignacio, que ocupan los brazos del crucero y, finalmente, en 1758, los de la Virgen de la Luz y de San José en el cuerpo de la Iglesia. En 1760 se inició la construcción de la fachada actual, concluida el 31 de julio de 1762, obra de las más hermosas del "churriguera mexicano", como lo llamó justamente el arquitecto Mariscal. Actualmente sirve de recinto al Museo del Virreinato.

Entre 1727 y 1730 fueron dedicados dos altares en la Iglesia de San Sebastián con motivo de la canonización de San Juan de la Cruz, hecho consignado por José Bernardo en el libro *El segundo quince de enero de la Corte Mexicana,* y que dice: "uno y otro —los altares— son en todo iguales de la obra nueva y garbosa estípites en lugar de columnas".[41]

[41] Impreso en 1730.

*Mano Religiosa del M. R. O. Fr. Joseph Cillero* describe el carácter churrigueresco de la fábrica de la Sacristía del Convento de la Asunción de Toluca, dedicado el 8 de diciembre de 1729.

La Iglesia del Colegio de Niñas (antiguo Convento de Capuchinas), que se erigió en 1744, cuenta con estípites gemelos en cada puerta. Don Diego Angulo señaló que: "Para la historia del estípite en la Nueva España son particularmente importantes las portadas del Convento de Capuchinas (Colegio de Niñas), que, nos ofrece todavía aunque decorada, la sencilla forma triangular del estípite miguelangelesco." [42]

En 1768 terminó Lorenzo Rodríguez la construcción del Sagrario metropolitano, obra iniciada en 1749. Se trata de una composición mexicana, según lo señala el arquitecto Villaseñor, entre otras razones por el empleo del tezontle; es una de las más hermosas del barroco churrigueresco mexicano.

[42] Diego de Angulo Iñiguez. *Historia del Arte Hispanoamericano.* Barcelona-Madrid-Buenos Aires-México-Río de Janeiro. Salvat Editores, S. A., 1950. Tomo II, p. 565.

# 5

## LA PINTURA BARROCA
## Y SUS ANTECEDENTES

La evolución de la pintura europea durante la Edad
Media comprendió la ejecución de la pintura monumental de los frescos y del mosaico, por una parte, y la
miniatura, que ilustraba los pocos textos que existían,
propiedad de nobles o de prósperos comerciantes bur-
gueses, por otra parte. Los manuscritos ilustrados con
miniaturas eran en realidad, como ha dicho Francastel,
"capillas portátiles de uso privado".[43]

A finales del siglo XIV aparece una nueva forma de
las imágenes, independientemente de la arquitectura —el
fresco, el mosaico— y del manuscrito —la miniatura—,
también transportable y destinado a decorar las iglesias
y las residencias de nobles y potentados: el cuadro pin-
tado sobre tablas de madera o sobre tela. Tal forma de
pintura prosperó rápidamente en Europa formándose en
poco tiempo diversas escuelas que se interinfluían, pero

[43] Pierre Francastel, *Historia de la pintura francesa*. Madrid,
Alianza Editorial, 1970, p. 10.

sin perder en sus grandes artistas representativos las características que las identifican al través del tiempo.

La pintura y el grabado europeos desempeñaron una enorme tarea catequizadora en la Nueva España. Como ha señalado Toussaint, la pintura nace en las tierras recién conquistadas por las necesidades de la evangelización de millones de indígenas, pues las decoraciones de las iglesias y los conventos ayudaban en la labor de adoctrinamiento. Al principio se hicieron mosaicos de flores incrustadas sobre esteras, llamados *petatl* por los indios, pero resultaron demasiado frágiles. Se empleó después la pluma, pero adolecía de los mismos defectos del primitivo *petatl* pues los parásitos podían destruir la obra. Entonces se recurrió a la pintura tanto mural como en tela.

Sabemos que fray Pedro de Gante creó la primera Escuela de Artes y Oficios anexa a la capilla de San José de los Naturales, del convento grande de San Francisco de la ciudad de México, plantel donde se utilizaron grabados como modelos para las pinturas. En esa escuela se fusionaron los conocimientos y las técnicas de los *tlacuilos* —pintores indígenas— y de los artistas venidos de España.

La abundancia de obras y la consecuente pérdida de calidad llevaron a las autoridades eclesiásticas, reunidas en el Primer Concilio de 1555, a elaborar las *Constituciones Sinodales,* dadas a conocer en 1556 por Juan Pablos; en ellas se establecía que ningún pintor, fuese español o indígena, podía pintar imágenes o retablos, sin haber sido examinado por los provisores de la Iglesia. El virrey don Luis de Velasco había ordenado que los indios fuesen sometidos a examen para conocer sus capacidades; pero las disposiciones de la Iglesia, principal adquiriente de las pinturas dado su creciente poder económico y social, le permitieron someter a su crítica la pintura novohispana.

Los pintores europeos no se plegaron a las disposiciones de la Iglesia y solicitaron que se les dieran ordenanzas a su gremio, las cuales fueron pregonadas el 9 de agosto de 1557. En tales ordenanzas, amén de las disposiciones de orden religioso y administrativo, se encuentran las referentes al orden técnico; éstas demuestran un gran adelanto en el arte pictórico, pues se exigía al pintor que supiese hacer fresco y óleo, dibujar del modelo desnudo y vestido, que conociese la perspectiva, supiese pintar paños y dominar la decoración que en Europa se llamaba *grutesco* y en la Nueva España "pintura romana".

Las ordenanzas dividían a los pintores en cuatro grupos: imagineros, es decir, los que sabían hacer imágenes eran los de más alta categoría; doradores; pintores al fresco, y sargueros, o sea los que pintaban en telas sin bastidor, empleadas como tapices.

Los pintores venidos de Europa practicaban y enseñaban nuevas técnicas. Selva nos da los nombres de los más destacados procedentes de España: Andrés de la Concha, quien al parecer había trabajado en el taller de El Escorial; los religiosos Andrés de Mata y fray Martín de Azebeido.[44] Francisco A. de Icaza en su *Diccionario Autobiográfico de conquistadores y pobladores de la Nueva España,* consigna el nombre de Cristóbal Quesada, a quien comisionó el primer virrey don Antonio de Mendo-

---

[44] José Selva, *El arte en España durante los Austrias,* Barcelona, Edit. Ramón Sopena, 1963, p. 146.

za para acompañar a Francisco Vásquez de Coronado en la expedición de Cíbola y Quivira, para pintar las cosas de la tierra. Dado el desastre de la expedición, puede conjeturarse que si pintó algo, se perdió.

El pintor flamenco Simón Pereyns, quien llegó a México en 1566 con el virrey Gastón de Peralta, fue seguramente el animador más importante de la pintura del virreinato. Pereyns conoció en Toledo a grandes pintores españoles como Antonio Moro, Juan Fernández de Navarrete, "el mudo", al "divino" Morales y a Alfonso Sánchez Coello, artistas todos al servicio de la Corte. En México Pereyns fue procesado y atormentado por la Inquisición, que lo condenó a pintar a su costo el retablo de Nuestra Señora de la Merced en la Catedral vieja de México. Después de cumplir su sentencia, Pereyns siguió pintando numerosas obras como los retratos de los franciscanos en Tepeaca, Huejotzingo y Tula; de los agustinos de Mixquic, Ocuila y Malinalco y, en colaboración con Concha, en la iglesia de Teposcolula; además, los cuadros que adornaron la vieja catedral de México. Su obra fue copiosa aunque desigual. Agrupó a su lado a Francisco Morales, Francisco de Zumaya, Andrés de la Concha y Juan Arrúe.

Después de ese grupo viene otro formado por los pintores Alonso Vásquez, Alonso López de Herrera y Alonso Franco, precursores del gran movimiento barroco de los siglos XVII y XVIII.

## La pintura barroca

La pintura de la época barroca cumple su función subordinándose a la arquitectura. Tal es la opinión de los

*Purísima Concepción; óleo sobre tela del pintor
Juan Sánchez Salmerón. Siglo XVII.
Museo del Virreinato; Tepotzotlán, Estado de México.*

maestros Manuel Toussaint, Francisco de la Maza y Justino Fernández. De la Maza dice que "las esculturas y pinturas barrocas acompañan a la arquitectura como esclavas".[45]

Además, los pintores estaban limitados por las decisiones del Concilio de Trento y la estricta vigilancia de las autoridades eclesiásticas y civiles del virreinato, que no participaban en la atmósfera mundana de las cortes europeas, y se les restringía a copiar los grabados europeos de Martín de Vos, Rubens, Murillo, Zurbarán, Sadeler y otros artistas.

Uno de los pintores más destacados fue Sebastián López de Arteaga, cuya obra floreció de 1635 a 1653. Destacaron también sus discípulos Luis Juárez y, sobre todo, José Juárez y sus descendientes Juan y Nicolás Rodríguez Juárez, cuyos lienzos exornan el Retablo de los Reyes de la Catedral Metropolitana. De la Maza señala a un notable pintor: Sebastián de Arteaga, una parte de cuyas obras se encuentra en la Pinacoteca Virreinal.

Baltasar de Echave Ibia, el "Echave de los Azules", y su nieto Baltasar de Echave Rioja, "el mozo", produjeron muchos cuadros. "El mozo" pintó *El martirio de Pedro de Arbúes* para la Inquisición de México, copia de un cuadro de Murillo; hizo además *Escenas de la Vida de Santa Teresa* y en la sacristía de la Catedral Metropolitana dos grandes lienzos: *Triunfo de la Religión* y *Triunfo de la Iglesia*.

Entre los pintores del siglo XVII se destacó el dominico fray Alonso López de Herrera, por sus grandes lienzos como la *Asunción* y la *Ascensión*. A finales de dicho

---

[45] Francisco de la Maza, *Cuarenta siglos de plástica mexicana. Arte colonial*, México, Edit. Herrero, 1970, p. 22.

siglo florecen dos grandes pintores: Juan Correa y Cristóbal de Villalpando. Ambos crearon obras luminosas en las que se privilegian los dorados; resultan también notables sus paisajes azulosos o rojizos, siempre suntuosos. Animados de un propósito decorativo tan caro a la época barroca, sus figuras parecen descuidadas.

Juan Correa fue un artista desigual. La lista de sus cuadros es muy grande. Mencionaremos los más importantes: *San Francisco a quien ofrece el Niño Jesús* y *Escena de la vida de San Francisco* que se encuentran en la sacristía del templo de Aguascalientes. Un gran *Calvario*, propiedad de una galería de Budapest; *Vida de la Virgen,* en el Retablo de la capilla del Rosario de la parroquia de Azcapotzalco, D. F.; dos grandes lienzos que decoran la sacristía de la Catedral de México: *Asunción de la Virgen* y la *Entrada de Jesús a Jerusalén.* En la misma Catedral, *El Apocalipsis;* en la Galería de pintura *Santa Catarina, Dolorosa, Coro de Angeles* y *Magdalena;* en el templo de Tepotzotlán *Adán y Eva arrojados del paraíso, La Anunciación y San Nicolás Obispo;* en San Miguel de Allende hay varias telas suyas, así como en el Santuario de Atotonilco; en el Museo de Arte de Filadelfia, Estados Unidos, dos cuadros de su última época: *San Gabriel* y *San Miguel.*

Cristóbal de Villalpando al parecer nació por 1649. Se casó el 2 de julio de 1669 con María de Mendoza, hija del pintor Diego Mendoza. Tuvo dos hijos; uno de ellos, Carlos, nacido en 1680, tuvo como padrino a Baltasar de Echave y Rioja, "el mozo". Toussaint aventura la opinión de que este Echave pudo ser maestro de Villalpando y de su hijo. Villalpando fue más fecundo que Correa, y como éste, desigual. De Villalpando podemos mencionar dos grandes cuadros de la sacristía de la

Catedral de México: *La Iglesia Militante* y *La Iglesia Triunfante;* la cúpula de la capilla de los Reyes de la Catedral de Puebla ejecutada al óleo. En el mismo templo, hay un medio punto que representa la *Transfiguración* y la *Serpiente de metal;* en la Universidad de Puebla dos magníficas telas: *San Ignacio* y *San Francisco Javier;* en la Colección Cabrera de Puebla una *Presentación de la Virgen* y unos *Desposorios;* en la parroquia de Cholula un *San Miguel;* en el Colegio de Tepotzotlán veintidós telas que muestran la *Vida de San Ignacio;* en el Museo de Guadalupe cercano a Zacatecas, una *Sagrada Familia con Santa Ana y San Joaquín;* en el Museo local de Guadalajara, *José saliendo de la cisterna* y el *Triunfo de la Eucaristía,* que según Toussaint es copia de Rubens; en el Carmen de San Angel, D. F., *Santa Teresa orando;* la *Oración del Huerto, Ecce Homo,* la *Flagelación* y *San Juan de la Cruz;* en el Museo Religioso de la Catedral de México cuatro magníficos cuadros: *La Anunciación, El Desposorio,* la *Huída a Egipto* y la *Adoración de los Pastores;* en la antigua iglesia de los dominicos de Azcapotzalco un retablo de *Santa Teresa.* Según Couto los claustros de San Francisco de México estaban decorados con cuadros de Villalpando que representaban *Escenas de la Pasión,* y en el templo de La Profesa de la capital, hay varias de sus mejores pinturas: la *Muerte de Tobías, Santa Teresa recibiendo el hábito de manos de la Virgen,* el *Sermón de la montaña y otras.* En el Museo Nacional de Guatemala existen quince espléndidos cuadros de la *Vida de San Francisco,* los cuales decoran los claustros del convento franciscano de La Antigua. Existe una nómina copiosa de pinturas y pintores menores: la *Sagrada familia en el taller de San José,* en la Catedral de México y *Apostolado,* en la Pinacoteca Virreinal de San Diego de México, obras de Juan Aguilera.

Pedro Calderón ejecutó un *San Antonio de Padua* en el templo de Regina; una *Santa Cena* en el convento de San Fernando; un *San Juan Nepomuceno* y una *Santa Ana,* en Guadalajara.

El Padre Manuel, jesuita, hizo una *Purísima* que está en la Galería de Pintura; una *Sagrada Familia* en la antigua Facultad de Medicina y en la sacristía de la parroquia de Tacuba, varios apóstoles. De fray Miguel Herrera, agustiniano, hay dos cuadros en el Museo de Filadelfia, de los Estados Unidos; un gran lienzo en la portería del convento del Carmen de Puebla, el retrato de la niña *María Josefa Aldaco y Fagoaga,* en el Museo Nacional de Historia y un *San Miguel* en el Museo del Tesoro de la Catedral de Puebla.

Francisco León hizo en el corredor de las escaleras del convento de Santo Domingo una *Virgen del Rosario;* una *Purísima,* en colección particular y en la Colección Barrón la *Huída a Egipto.*

Francisco Martínez, quien además doró el Retablo de los Reyes de la Catedral de México, hizo una *Purísima* en el sagrario de la iglesia franciscana de Tepeji del Río; *Martirio de San Lorenzo* en la parte exterior del coro de la Catedral de México, dos *Evangelistas,* una *Alegoría de la Virgen con Santísima Trinidad* y varios santos que están en la Galería de Pintura; varios cuadros en la Universidad de Puebla sobre la *Vida de Santa Teresa* y un *San José* en la parroquia de Singuilucan; varias telas sobre la *Pasión de Cristo;* en la sacristía del templo de Santo Domingo de Zacatecas, ocho cuadros con el mismo tema; en el templo de La Profesa de México algunas obras; en el Museo Nacional de Historia varios retratos, entre ellos el del *Duque de Linares;* dos cuadros de *Nuestro Señor de la Misericordia* y *San José,* y en la sacristía del templo de San Pablo de México el *Patrocinio de Nuestra Señora de la Merced.*

Antonio Torres produjo muchas obras. Mencionaremos las más destacadas: en el templo de La Profesa de México, *Vida de San Felipe Neri* y una *Purísima;* un *San Francisco* y una *Coronación de la Virgen* en el Museo del Tesoro de la Catedral de México; en el camarín de la iglesia de San Diego de Aguascalientes, unas *Animas;* en el Colegio de Guadalupe, cerca de Zacatecas, una serie de la *Vida de la Virgen;* en el Museo Nacional de Historia los retratos de los franciscanos, y en San Luis Potosí se encuentra dispersa buena parte de su obra.

Debemos mencionar por último a los pintores José de la Mota y José de Mora, discípulos de Juan Correa.

Cabe mencionar que la pintura, como la arquitectura y la escultura barrocas, se dieron también fuera de la capital de la Nueva España. El auge de la economía, especialmente de la minería y del comercio, hicieron prosperar otras ciudades y provincias. Después de la ciudad de México la más importante fue Puebla. El licenciado Francisco Pérez Salazar, concienzudo investigador, nos ha enterado sobre el tema y nos dice que desde el siglo XVI aparecieron artistas en la región, entre los que destacan Nicolás de Tejeda, vecino de Puebla, y Juan Gerson, pintor indígena de Tecamachalco.

En el siglo XVII tenemos a Jerónimo Farfán, quien realiza en Tlaxcala unos *Apóstoles,* para Luis Crespo; fue procesado por la Inquisición debido a su lenguaje procaz. Luis Lagarto, integrante de una familia de artistas, fue contratado para iluminar las letras de los libros del coro, escritas por Alonso Villafaña, e ilustró varios libros; fue también miniaturista, en Arcos de la Frontera, España, se conserva su *Desposorio Místico de Santa Catarina,* firmado con un pequeño lagarto; se conocen de este artista una *Anunciación* y una *Virgen del Rosario,* de 1616, existentes en la Galería de Pintura; dos en el Museo de don Manuel Bello y una *Anunciación,* propiedad del arquitecto Luis McGregor; en Sevilla una *Sagrada Familia* y una *Concepción* de 1624; en Durango, un *Nacimiento de Cristo* y un *San Lorenzo,* propiedad del licenciado Pérez Salazar. De Andrés Lagarto existe una *Purísima* de 1622 en el Museo Nacional de Historia. Cierra la lista de los Lagarto, Francisco, cuya fama corría por 1637.

Pedro García Torres fue el artista favorito del gran obispo don Juan de Palafox y Mendoza. Se distinguió en el siglo XVII como arquitecto, escultor y pintor. Natural de Alcoriza, Aragón, estudió en Valencia. Terminó la Catedral de Puebla proyectando la cúpula de la misma, ejecutada por el maestro Jerónimo de la Cruz; esculpió los cuatro ángeles que exornan las pechinas y pintó los cuadros del altar de los Reyes. Toussaint opina que quizá se deban a García Torres los retratos de los obispos anteriores a monseñor Palafox. Su lealtad a dicho obispo le acarreó persecuciones y penalidades; regresó a España con Palafox.

Diego de Borgraf, artista flamenco, se destacó en Puebla por 1649. Son muy estimados sus cuadros *Cristo atado a la columna,* en la sacristía de la parroquia de Cholula; un busto de *San Francisco,* en el templo de la Concordia de Puebla y la *Muerte de San Francisco Javier,* en el templo de Analco; *San Francisco que se le aparece a Santa Teresa,* en la sacristía del templo franciscano de Tlaxcala, y una *Concepción,* que se conserva en la Universidad de Puebla, copia de un cuadro de Franco Rizzi. Pérez Salazar atribuye a Borgraf los cuadros de los retablos de las naves laterales de la parroquia de San José en Puebla que representan a la *Virgen entre Santa Ana y San Joaquín* y la *Huída a Egipto.* Toussaint dice haber visto una *Santa Leocadia* en el templo de la Santísima Trinidad de Puebla y un *Cristo en un lagar,* en el Carmen de la misma ciudad.

A mediados del siglo XVII alcanzó fama Gaspar Conrado Flores, quien hizo tres retablos para la iglesia del convento de Santa Bárbara; existían pinturas suyas en el convento de San Agustín, pero quedaron destruidas por el incendio ocurrido ahí en 1863, cuando el ejército mexicano sitiado en Puebla, luchaba contra las tropas francesas.

Antonio Santander fue el jefe de una familia de pintores. De él se conservan una *Crucifixión* y un *Descendimiento,* en la capilla de la Soledad de la catedral angelopolitana; una *Concepción* y un *Santo,* en la capilla de San Antonio; seis cuadros, muy deteriorados, que representan a los doce *Hijos de Abraham,* en la Academia de Bellas Artes de aquella ciudad. Hizo, además, el retablo del templo de la Concepción.

De Juan Tinoco lo único que se sabe es lo que dicen sus obras: un *Apostolado con Jesús* y la *Virgen,* en la Academia de Bellas Artes de Puebla; una *Santa Rosalía,* en el templo de San Agustín; una *Batalla Bíblica,* en el vestíbulo de la sala capitular de la Catedral; un *Patrocinio de Nuestra Señora,* en la sacristía de la Concordia y un *Desposorio místico de Santa Catarina,* en la colección Barrón.

El mestizo Pascual Pérez, es un pintor desigual; su mejor obra es la *Vida de San Cayetano* en la capilla de San Felipe, del templo de la Concordia; en las bodegas de la Universidad están *Misterios del Rosario,*

*Custodia y cálices de plata dorada; demostración
del elegante barroco del siglo XVII.
Museo del Virreinato; Tepotzotlán, Estado de México.*

*Santa Leocadia, Santa Bibiana, Santa Agueda, Santa Bárbara, Santa Susana, Santa Quiteria* y *Santa Lucía* y en el pórtico de la parroquia de San José una *Crucifixión* y un *Descendimiento.*

Cristóbal de Talavera es un artista de fines del siglo XVII y comienzos del XVIII; se conoce únicamente su *Linaje espiritual de San Francisco,* en la antesacristía del templo de San Francisco. Bernardino Polo fundó una generación de pintores cuyas obras son propiedad privada.

De Juan de Villalobos se conocen *San Juan Evangelista, San Juan Bautista,* el retablo *Comunión de San Luis Gonzaga, Sagrada Familia* y la *Virgen con Santa Ana y San Joaquín,* en la sacristía templo de los jesuitas; en la sacristía de San Francisco, el retrato de los *Obispos Saña y Gorospe* y en el sagrario dos telas: *Bautismo de Cristo* y *Labatorio.* Sus obras más conocidas son las que adornan el camarín del Santuario de Ocotlán, que son escenas de la *Vida de la Virgen;* un espléndido retrato de la *Madre María Guadalupe de Santa Bárbara,* en el Museo Nacional de Historia de la Ciudad de México; algunos cuadros en el templo de los dieguinos de San Martín Texmelucan; un *Nacimiento de la Virgen,* en el convento del Carmen de San Angel, D. F. y algunos cuadros en el Museo de Santa Mónica de Puebla.

En Michoacán la pintura florece desde los primeros tiempos del virreinato. Don Vasco de Quiroga, el insigne utopista y primer obispo de Michoacán, aprovechó la capacidad de los indígenas de Tiripetío y Pátzcuaro para que hicieran numerosas pinturas. Toussaint consigna como pintores de la región a tres frailes: dos agustinianos Pedro y Simón Salguero y el franciscano Alberto Enríquez. De Simón Salguero da noticias fray Matías de Escobar diciendo que dejó dos retratos en el convento de Quiroga y que en el convento franciscano de Morelia "la escalera principal tiene asimismo muchos y muy buenos retratos y el *Tránsito de Nuestro Padre San Agustín* está sobre la cornisa".[46]

Un pintor de origen peruano, el franciscano fray Francisco Manuel de Cuadros, vivió como curandero en Pátzcuaro, fue juzgado y ejecutado por la Inquisición, sospechoso de ser enemigo de la fe. Toussaint considera suya y de buena factura una obra pintada en el muro de la cárcel de Pátzcuaro, que representa a San Francisco apareciéndosele a un Papa muerto y a un fraile que lo asiste.

Oaxaca tuvo buena pintura desde el siglo XVI, cuya muestra son los frescos de los muros de los conventos de Yanhuitlán, Etla y Cuilapan. En el primer lugar trabajó Andrés de la Concha; en Coixtlahuaca Simón Pereyns, y Juan de Arrúe en Oaxaca, Etla, Tlacochuahuaya, Huitzuco y Huajolotitlán. De Marcial Santaella existen en la Catedral de Oaxaca unos *Arcángeles en Gloria* y un *San Cristóbal,* firmados en 1726. Hay cuadros europeos de valor: dos *Descendimientos* flamencos, una *Magdalena* y una *Santa Margarita;* los italianos *San Jerónimo, Santa Teresa, Santa Catarina* y *San Antonio Abad,* traídos por don Pedro Otálora.

En Querétaro, dice Carlos Sigüenza y Góngora en sus *Glorias de Querétaro,* Baltasar de Echave y Rioja pintó una *Guadalupana* en el templo de Guadalupe. De José García, pintor y estofador del siglo XVIII, se conocen los retratos de varios *Apóstoles* de 1723; en el templo de San Antonio, un *Cristo con la cruz a cuestas,* del

[46] *Americana Tebaida,* pp. 218 y 418.

mismo año. En el siglo XVII, un pintor que se firmó Peralta, hizo una cabeza de *San Juan Bautista,* un *San Pedro,* un *San Ignacio* y un *San Francisco Javier.*

De lo que hoy conocemos como estado de Jalisco el pintor más importante fue Diego de Cervantes. Cinco cuadros suyos se encuentran en el Museo de Guadalajara: *Purísima* (1739), *San Juan de la Cruz; Virgen del Apocalipsis;* siete *Arcángeles* y la *Trinidad* de 1737; además el retrato de *Fray Felipe Galán,* obispo de Nueva Galicia. En el Museo Michoacano de Morelia existe el retrato de *Don Vasco de Quiroga* y en el Museo de Pintura del Colegio de Zacatecas, el retrato de *Fray José Guerra,* de 1730; en La Profesa de México, cuatro buenos cuadros de los *Evangelistas.* En Guadalajara hay buenos cuadros de Luis Juárez.

Los privilegios concedidos por la Corona española a los tlaxcaltecas como recompensa por sus servicios, deterioraron completamente el modo de vida de la población. Lejos de prosperar, entraron en decadencia y se rezagaron en relación con las demás provincias de la Nueva España. Pero como lo demuestran los murales de las pirámides de Cholula y Tizatlán y los códices posthispánicos, fue tierra de pintores antes de la Conquista. Sin embargo, durante el virreinato, sólo se tiene noticia, por 1676, del pintor Antonio Caro; parecen ser descendientes de él Manuel Caro, nacido en 1751 y su hermano Mariano, que vio la luz en 1763.

Por los códices y los soberbios frescos de Chichén Itzá y otros lugares, sabemos que en Yucatán los mayas fueron extraordinarios pintores. Francisco de Lizana nos dice en su *Historia de Yucatán* que "entre los religiosos que el Santo Obispo Landa truxo a esta provincia vino el padre fray Julián de Quantas: era natural de Almagro; tomó el hábito en la provincia de Castilla... amava a los indios con extremos y los enseua a pintores, doradores y entalladores... y fue causa esto de aya muchísimos de ellos que son pintores, doradores y entalladores... si bien se han perficionado con Maestros Españoles que oy ay en esta tierra, sin ygual a su destreza a los mejores del mundo".[47] Desafortunadamente no hay lista de nombres ni de obras. Parece que la producción languideció por la severidad de la Inquisición, según informes que constan en el Archivo General de la Nación.[48]

[47] Folio 97 y vuelta.
[48] Ramo *Inquisición*, p. 486.

# 6

## DECADENCIA DE LA PINTURA BARROCA

Lo barroco pareció agotarse en el curso del siglo y medio que imperó como estilo en la Nueva España. Abundó lo que Francisco de la Maza llamó "pintura bonita", alejada de los vigorosos creadores como la dinastía de los Echave o de los Rodríguez Juárez.

Hubo dos grandes pintores en el siglo XVIII. El de mayor estatura fue don José de Ibarra, quien nació en Guadalajara en 1688 y murió en México en 1756. Fue discípulo de Juan Correa pero recibió influencia de Villalpando y de los Rodríguez Juárez.

Tanto Ibarra como Miguel Cabrera son extraordinariamente fecundos. Crearon talleres u *obradores* donde trabajaban al lado de sus discípulos, de manera que no todas las obras que se les atribuyen son de ellos, aunque lleven su firma. Ibarra era dueño de su oficio, convencional, de pincelada fácil; sabía construir sus cuadros mas su repertorio es limitado y por ello se repite, se inclina por lo teatral y grandilocuente. Las obras más importantes de Ibarra están en la Galería de la Academia de San Carlos de México: *Mujeres del Evangelio;* una serie de láminas con escenas de la *Vida de la Virgen* y su autorretrato. Son suyos los cuadros que decoran el relicario de San José, en Tepotzotlán; los que se ven en el exterior del coro de la Catedral de Puebla; doce láminas con *Pasajes de la Sagrada Escritura* que se encuentran en la Colección Buch y algunos de la Catedral Metropolitana de México.

Miguel Cabrera fue el más famoso y afortunado de su época. Nació en Santiago de Juxtlahuaca, del hoy estado de Oaxaca, el 27 de febrero de 1695. Abandonado por sus padres, fue recogido por su padrino Gregorio Cabrera, de quien adoptó el apellido. Amigo de Ibarra, quien fue más frío y mesurado, Cabrera parece haber sido influido por Villalpando, Correa y los Rodríguez Juárez. Su obra es copiosa. Fundó con sus discípulos en 1753 una academia de pintura, de la cual fue presidente perpetuo. Realizó el famoso retrato de Sor Juana Inés de la Cruz así como escenas religiosas y santos. Hizo importantes murales sobre las puertas de la sacristía de la parroquia de Taxco; en la sacristía del templo de Tepotzotlán; en las escaleras del templo de Guadalupe, Zacatecas; el retrato de una monja *Sor María Josefa;* escudos de monjas y retablos enteros. Un año antes de su muerte, en 1767, hizo el Túmulo de la Catedral de México erigido para las honras fúnebres de la reina madre Isabel Farnesio. Caudalosa como fue su tarea, no hay iglesia o convento del virreinato que no cuente con pinturas de Cabrera. Hay muchas en colecciones particulares tanto en México como en España.

Los discípulos más destacados de Cabrera fueron Juan Patricio Morlete Ruiz, Francisco Antonio Vallejo, José de Alcíbar y José Ventura Arnáez. Los pintores secundarios del siglo XVIII fueron: Ignacio María Barrada, Manuel Carcanio, José Joaquín Esquivel, Andrés Islas, Andrés López, Carlos Clemente López, José Padilla, Pedro Quintana, Pedro Sandoval y Mariano Vázquez.

Como lo dice Zevi [49] el barroco crea una nueva concepción espacial en lugar de someterse a los gustos antiguos.

Al engendrar el barroco una nueva concepción artística con energía, fantasía y efectos escenográficos echando mano de la asimetría y de la armonía orquestal de la arquitectura, la escultura, la pintura, los juegos de agua y la jardinería, forjó un nuevo mundo plástico.

El movimiento del espacio barroco no tiene nada que ver con los estilos anteriores. Y como la experiencia espacial de la arquitectura tiene su prolongación en las calles, las plazas y plazuelas, los callejones y los jardines, lo barroco imprimió su sello a todas las ciudades importantes de la Nueva España, dándoles un carácter bello y vigoroso. En efecto, casi siglo y medio de arte barroco conformó la urbanización mexicana. Las expresiones de quienes visitaron nuestra capital como Tomás Gage, Leonel Waffer, Gameli Carreri en el siglo XVII y Humboldt en los albores del XIX, nos describen la monumentalidad de nuestra capital. He aquí las palabras de Humboldt:

*Según pintan los primeros conquistadores el antiguo Tenochtitlán, adornado de una multitud de teocallis que sobresalían en forma de minaretes, o torres turcas, rodeado de aguas y calzadas, fundado sobre islas cubiertas de verdor, y recibiendo en sus calles a cada hora millares de barcas que daban vida al lago, debía parecerse*

[49] Bruno Zevi, *Saber ver la arquitectura*, Buenos Aires, Edit. Poisedón, 1951, p. 94.

*Confesionario de la Iglesia de Santa Rosa*
*de Querétaro. Siglo XVIII.*

*a algunas ciudades de Holanda, de la China, o del Delta inundado del Bajo-Egipto. La capital, tal cual la han reedificado los españoles, presenta un aspecto acaso menos risueño pero mucho más respetable y majestuoso.*

*México debe contarse, sin duda alguna, entre las más hermosas ciudades que los europeos han fundado en ambos hemisferios. A excepción de Petersburgo, Berlín, Filadelfia y algunos barrios de Westminster, apenas existe una ciudad de aquella extensión, que pueda compararse con la capital de Nueva España, por el nivel uniforme del suelo que ocupa, por la regularidad y anchura de las calles y por lo grandioso de las plazas públicas. La arquitectura, en general es de un estilo bastante puro y hay también edificios de bellísimo orden. El exterior de las casas no está cargado de ornatos. Dos clases de piedras de cantería, es a saber, la amigdaloide porosa llamada tezontle y, sobre todo, un pórfido con base de feldespato vidrioso y sin cuarzo, dan a las construcciones mexicanas cierto viso de solidez y aun de magnificencia. No se conocen aquellos balcones y corredores de madera, que desfiguran en ambas indias todas las ciudades europeas. Las barandillas y rejas son de hierro de Vizcaya y sus ornatos de bronce. Las casas tienen azoteas en lugar de tejados, como las de Italia y de todos los países meridionales.*

*Desde que el abate Chappe estuvo en México el año de 1769, se ha hermoseado notablemente la ciudad. El edificio destinado a la escuela de minas, para cuya obra los más ricos particulares del país han dado más de seiscientos mil pesos, podría adornar las principales plazas de París y de Londres. Varios arquitectos mexicanos, discípulos de la Academia de Bellas Artes de la Capital, han construido recientemente dos grandes edi-*

ficios de personas principales, uno de los cuales que está en el barrio de Tlaspana, presenta en lo interior del patio un hermosísimo peristilo ovalado y con columnas pareadas. Todo viajero admira con razón, en medio de la Plaza Mayor, enfrente de la Catedral y del Palacio de los Virreyes, un vasto recinto enlosado con baldosas de pórfido, cerrado con rejas ricamente guarnecidas de bronce, dentro de las cuales campea la estatua ecuestre del Rey Carlos IV, colocada en un pedestal de mármol mexicano. No obstante, es menester convenir en que a pesar de los progresos que han hecho las artes en treinta años a esta parte, la capital de la Nueva España sorprenda a los europeos, no tanto por la grandiosidad y hermosura de sus monumentos, como por la anchura y alineación de las calles; y no tanto por sus edificios, como por la regularidad de su conjunto, por su extensión y situación. Por una reunión de circunstancias poco comunes, he visto consecutivamente y en un corto espacio de tiempo, Lima, México, Filadelfia, Washington, París, Roma, Nápoles y las mayores ciudades de Alemania. Comparando unas con otras las impresiones que se suceden rápidamente en nuestros sentidos, se puede llegar a rectificar una opinión que acaso se ha adoptado con demasiada ligereza. En medio de las varias comparaciones cuyos resultados pueden ser menos favorables para la capital de México, debo confesar que esta ciudad ha dejado en mí una cierta idea de grandeza, que atribuyo principalmente al carácter de grandiosidad que le dan su situación y la naturaleza de sus alrededores.

Ciertamente no puede darse espectáculo más rico y variado que el que presenta el valle, cuando en una hermosa mañana de verano, estando el cielo claro y con *aquel azul turquí propio del aire seco y enrarecido de las altas montañas, se asoma uno por cualquiera de las torres de la Catedral de México o por lo alto de la colina de Chapultepec. Todo alrededor de esta colina se descubre en la más frondosa vegetación. Antiguos troncos de ahuehuetes de más de 15 ó 16 metros de circunferencia, levantan sus copas sin hojas por encima de las de los* schimes, *que en su porte o traza se parecen a los sauces llorones del Oriente. Desde el fondo de esta soledad, esto es, desde la punta de la roca porfirítica de Chapultepec, domina la vista una extensa llanura y campos muy bien cultivados que corren hasta el pie de las montañas colosales, cubiertas de nieves perpetuas. La ciudad se presenta al espectador bañada por las aguas del lago de Texcoco, que rodeada de pueblos y lugarcillos le recuerda los más hermosos lagos de las montañas de Suiza.*

*Por todas partes conducen a la capital grandes calles de olmos y de álamos blancos, dos acueductos, construidos sobre elevados arcos, atraviesan la llanura que presenta una perspectiva tan agradable como embelesadora. Al Norte se descubre el magnífico convento de Nuestra Señora de Guadalupe construido en la falda de las montañas del Tepeyac, entre unas quebradas a cuyo abrigo se crían algunas datileras y yucas arbóreas. Al Sur, todo el terreno entre San Angel, Tacubaya y San Agustín de las Cuevas, parece un inmenso jardín de naranjos, abrideros, manzanos, guindos y otros árboles frutales de Europa. Este hermoso cultivo forma contraste con el aspecto silvestre de las montañas peladas que cierran el valle y entre las cuales se distinguen los famosos volcanes de la Puebla, el Popocatépetl y el Iztacíhuatl. El primero forma un cono enorme, cuya crátera*

*siempre encendida y arrojando humo y cenizas, rompe
en medio de las nives eternas.*

*La ciudad de México es también muy notable por
su buena policía urbana. Las más de las calles tienen
aceras muy anchas; están limpias y muy bien iluminadas
con reverberos de mechas chatas en figura de cintas.*

*Hojeando el libro de Cabildo... que contiene la
historia de la nueva ciudad de México desde 1524 a
1529, no he hallado en todas sus páginas sino nombres
de personas que se presentaban a los alguaciles para
pedir el solar donde estaba antes la casa de tal o cual
señor mexicano. Todavía hoy mismo se continúa cegan-
do y desecando los canales antiguos que atraviesan varias
calles de la capital. El número de estos canales ha dis-
minuido principalmente después del gobierno del Conde
de Gálvez, a pesar de que la grande anchura de las calles de México hace que los canales estorben allí el concurso de los carruajes mucho menos que en la mayor
parte de las ciudades de Holanda."* [50]

El primer edificio que se debe mencionar es el Palacio Nacional, que con la Catedral Metropolitana, los edificios del Gobierno del Distrito Federal y los comerciales
que le quedan enfrente, encuadra una de las plazas más
hermosas del mundo. Al Palacio Nacional, sede del Poder Ejecutivo de la Nación y de otras dependencias fe-
derales, se le agregaron en el siglo XIX la llamada *Puerta
Mariana* y sus estrechos patios correspondientes. En nuestro siglo, en la década de los veinte, se le añadió el último
piso. Como una construcción independiente pero al cos-
tado del Palacio, se levantó en 1734 la Casa de Moneda,

[50] Alejandro de Humboldt, *Ensayo político sobre el reino
de la Nueva España*, México, Edit. Porrúa, 1966, p. 118.

cuyos planos hizo don Nicolás Peinado. Hubo de ampliarse en 1772 y se concluyeron las obras en 1782. De estilo barroco, en sus muros se empleó el tezontle; los ventanales y la suntuosa portada son obra de Bernardino Orduña. Más tarde y durante largos años, dio alojamiento al Museo Nacional de Antropología, actualmente en Chapultepec. En nuestros días el hermoso edificio de la Casa de Moneda es sede del Museo de las Culturas.

A continuación debemos mencionar el edificio de lo que fue La Real Aduana de México, terminado en 1731, y que aún puede admirarse en la calle de Brasil, y cerca de la iglesia de Santo Domingo y del que fue local de la Inquisición. Está construido con tezontle, tiene portadas y balcones de cantería, dos soberbios patios y una escalera monumental que lleva a los pisos superiores.

En la misma plaza se encuentra la que fue sede de la Inquisición, cerca de la iglesia de Santo Domingo y de la Real Aduana de México. El arquitecto de la que se llamó "la casa chata", por su gran portada en chaflán, fue Pedro Arrueta. Es un hermoso edificio de tezontle y cantera; lo que más se destaca es la escalera y el gran patio, cuyos arcos cruzados prolongan sus dovelas hacia abajo. El local fue usado por la Escuela de Medicina y actualmente es un centro cultural de la Universidad Nacional Autónoma de México.

Por el rumbo norte de la capital, en el antiguo barrio de Peralvillo, se conserva la vieja garita, convertida hoy en escuela.

Otro edificio importante es el que ocupa el Gobierno del estado de Jalisco, en Guadalajara, que fue sede de la Audiencia de la Nueva Galicia. Se construyó de 1720 a 1724 y se dice que sus arquitectos fueron don Nicolás Enríquez del Castillo y don José Conique. Las escaleras y la Cámara de Diputados local fueron decoradas por el gran pintor José Clemente Orozco.

El Palacio de Gobierno de Aguascalientes es una hermosa y sobria construcción que ocupó en la época virreinal el Cabildo de la ciudad.

El Palacio de Gobierno de Morelia es un gran monumento construido todo de cantería y rematado con piezas de sabor oriental; anteriormente fue seminario. El pintor michoacano Alfredo Zalce ha enriquecido el edificio con hermosos murales.

Los colegios dieron lugar a construcciones muy importantes, especialmente los dirigidos por los jesuitas. En primer lugar debemos mencionar el Colegio de San Ildefonso. Su fachada es majestuosa, con amplios paños de tezontle, portadas de cantera y ventanales a gran altura. Se compone de tres grandes patios, con corredores de arcos, una capilla, usada hoy como biblioteca, y un salón de actos llamado "El Generalito", de hermosa sillería. José Clemente Orozco, Diego Rivera, David Alfaro Siqueiros, Jean Charlot, Fermín Revueltas y Ramón Alva de la Canal agrandaron el valor del local con sus extraordinarios murales. Durante largos años fue recinto de la Escuela Nacional Preparatoria, actualmente la Universidad Nacional Autónoma de México la ha destinado a actividades culturales.

Compite con el Colegio de San Ildefonso el Colegio de San Ignacio, mejor conocido por Las Vizcaínas. Fundado por los vascongados Ambrosio de Meave, Francisco de Echeveste y Manuel de Aldaco, fue construido de 1734 a 1767. La obra parece gemela del Colegio de San Ildefonso por su bella fachada de piedra y tezontle, sus portadas de cantera y sus patios. La crestería de pináculos y los grandes óculos le dan un aspecto imponente. Don Pedro Bueno Basón parece haber sido el autor del proyecto, sin embargo, había muerto ya cuando se inició la construcción. Se cree que el Maestro de Obras Miguel José de Quiera realizó la edificación. La portada de la capilla, hecha por Lorenzo Rodríguez, data de 1786. La capilla conserva sus retablos churriguerescos y se ha organizado un pequeño museo con pinturas, orfebrería, muebles y otras obras de arte de la época.

El *Colegio de Cristo,* fundado en 1612, se conserva en buen estado. El edificio actual data de mediados del siglo XVIII y lo más destacado es su preciosa portada barroca. Sus muros son de tezontle y la fecha de su erección 1780.

A partir del siglo XVIII, los hospitales de la Nueva España fueron reconstruidos totalmente. Mencionaremos los que quedan, independientemente de la función a que estén dedicados en nuestros días. En primer lugar, en San Hipólito pueden verse todavía sus muros de tezontle y el templo de ese nombre, ocupados por comercios de libros y en su interior un jardín.

La orden hospitalaria de San Juan de Dios, los "juaninos", estableció hospitales en diversas poblaciones. El de México, reparado después de un incendio en 1766, muestra partes de épocas anteriores, con los revestimientos mudéjares en sus muros.

En Puebla se mantiene el Hospital de San Pablo, antiquísimo, pues Veytia dice que fue edificado en 1545. Tiene muros enladrillados, un bello escudo de la Catedral de Puebla y un enorme patio. Conserva su iglesia, pero carece de interés.

El Hospital de San Juan de Dios de Atlixco ostenta sus crujías cubiertas de azulejos poblanos. El de Tehuacán no ha sido bien conservado, como el de Atlixco.

*Bordado de un ornato poblano del siglo XVIII.*
*Museo del Virreinato; Tepotzotlán, Estado de México.*

El Hospital de Belén de Guadalajara, construido por el obispo Alcalde en 1797, es de planta cruciforme, procedente de los Reyes Católicos. Después se le agregaron cuatro crujías, con lo cual tiene ocho brazos.

De los mercados que tuvieron el nombre de Parián —término con que se designaba en Manila, Filipinas, el lugar donde se hacía la venta pública de los objetos que se importaban de Europa a través de México— no queda más que uno en Puebla. El de México, situado en la Plaza Mayor, frente al Ayuntamiento, fue demolido por el gobierno en 1843.

Es conveniente recordar edificios desaparecidos por la remodelación de la capital. En primer lugar, la antigua Real y Pontificia Universidad, construida durante el reinado de Carlos III. "Llamaba principalmente la atención una vistosa portada de tres cuerpos, con prolijos follajes de estilo churrigueresco y adornada con estatuas del Derecho Civil, Medicina, Filosofía, Teología y Derecho Canónico, con los bustos de los tres Carlos y con el escudo de las armas reales", pero "toda esa bellísima, delicada, vistosa y costosa portada se demolió allanándose para el adorno de la jura del Señor Don Carlos IV quedando sólo formalmente de perspectiva toda la fachada, pintada con adornos del orden toscano".[51]

El antiguo Palacio del Cabildo, la Diputación y el Ayuntamiento, reconstruido este último de 1720 a 1724, desapareció y en su lugar se levantaron los edificios del Gobierno del Distrito Federal. Lo mismo ocurrió con la Acordada, cárcel del tribunal del mismo nombre que se encontraba en la esquina de la avenida Juárez y

---

[51] Ignacio Carrillo y Pérez, *México Católico*. Citado por Toussaint en su obra *El Arte Colonial de México*, p. 159.

Balderas. Era de tezontle, con marcos de puertas y ventanas de cantera, y gran portada en el centro, con el correspondiente escudo.

El Hospital de Indios, el más importante por su amplitud y valor social, en cuya reconstrucción intervinieron Jerónimo de Balbás y Lorenzo Rodríguez, ha desaparecido, para dar lugar a la avenida de San Juan de Letrán, actualmente Eje Vial Lázaro Cárdenas. La misma suerte corrió el Hospital de los Terceros de San Francisco, que se levantaba donde está el Palacio de Correos, en el mismo Eje Vial citado antes.

# 7

## RESIDENCIAS BARROCAS

Varias casas de tipo barroco que se construyeron durante los siglos XVII, XVIII e inclusive XIX, persisten hasta
nuestros días, supervivientes de la ola del gusto francés
y norteamericano que ganaron el ánimo de los arquitectos y propietarios. Las casas barrocas se caracterizan en
general por la gran portada, el zaguán con balcón arriba, en cuya parte superior estaba a veces el escudo del
propietario; los barandales y las rejas de hierro forjado.
La casa debía tener espacio no sólo para las habitaciones de uso normal, sino para salones de fiestas, bailes
y banquetes, e inclusive ceremonias religosas en capillas
particulares con ricas portadas, retablos y pinturas. Asom-
bra el tamaño de los patios y el primor de las fuentes.
Generalmente había dos de aquéllos, el segundo con
espacio para los carruajes, los caballos de tiro y de silla,
habitaciones para la servidumbre y bodegas. Es curioso
notar que los grandes señores hacían construir en el exterior, excepto en el frente, viviendas con salidas inde-
pendientes a la calle, "accesorias" que rentaban a buen
precio, pues no desdeñaban que el alquiler les produjera dinero.

Mencionaremos a continuación las más importantes residencias que aún se conservan:

*Casa del Marqués de Jaral de Barrio, del Marqués de Moncada* u *Hotel Iturbide.* Es la construcción más representativa del estilo. La gran fachada cuenta con un primer piso, un entresuelo, un segundo y un tercer piso formado por dos torreones y una galería. La decoración está finamente tallada en la portada con dos *atlantes.* El patio es de proporciones asombrosas. La portada de la ex-capilla, es una filigrana. Sirvió de alojamiento a Iturbide, de ahí su nombre; actualmente es sede de oficinas del Banco Nacional de México, que lo ha restaurado decorosamente.

La *Casa del Conde de Orizaba,* también llamada de *Los Azulejos,* está situada en la calle Madero, número 4, y es una de las más suntuosas residencias. Al parecer la quinta condesa del Valle de Orizaba casó en Puebla y vivió ahí hasta que murió su marido en 1708, año en que volvió a la ciudad de México; como la casa estaba deteriorada, la condesa la hizo reconstruir y mejorar de acuerdo con el gusto poblano, empleándose los azulejos en la fachada, lo cual resultó un caso único. El artífice hizo un rodapié de cantera, fajas, pilastras, molduras, marcos de puertas y ventanas de la misma piedra; cornisas vigorosas, de manera que los azulejos están enmarcados en paneles que realzan el gris de la piedra. El remate es magnífico: un nicho sobre una gran portada, otro en la esquina y un pretil de línea ondulada y vasos de silueta china hechos de cerámica. El interior es imponente: una escalera monumental con lambrines de azulejos y ennoblecida a su final con un mural de José Clemente Orozco. La portada de la que fue capilla, los grandes salones, las azoteas: todo es de riqueza y buen gusto.

*Casa del Conde de Miravalle,* en Isabel la Católica 30. Sus muros son de tezontle; las puertas y ventanas de cantera, con almohadillas enmarcadas en paneles que realzan el gris de la piedra.

*Casa del Marqués de Prado Alegre,* Madero 39. Residencia muy modificada; hoy sólo se puede ver la fachada con dos pisos y un entresuelo; una puerta muy ricamente decorada con relieves en lo alto, un gran balcón y remate para el escudo.

*Casa de don José de la Borda,* Madero, Bolívar, 16 de Septiembre y Motolinía. El riquísimo minero pensaba ocupar el espacio de una manzana entera para su residencia, propósito que no se realizó, pero varias casas de Madero y Bolívar se vieron ceñidas por un barandal corrido y paredes cubiertas de tezontle.

*Casa del Marquesado de Oaxaca.* Actualmente, sede del Nacional Monte de Piedad, sito en la calle del mismo nombre, es lo que queda de las casas de Hernán Cortés. Gran edificio de tezontle con puertas y ventanas enmarcadas en cantera; su remate y almenas resultan suntuosas. La gran propiedad fue dividida y modificada, finalmente la adquirió el Monte de Piedad en 1836. El interior ha sido totalmente modificado.

*Casa del Conde de Calimaya,* Pino Suárez 30. Es de las que se conservan en mejor estado. Su exterior es hermoso; tiene una gran portada con pies de garra abajo. La crestería en forma de cañones es fascinante; cuenta con un gran patio y una fuente. Se cree que la hizo en 1779 don Francisco Guerrero y Torres. La portada de la capilla es excelente. Actualmente aloja al Museo de la Ciudad de México.

*Casa de los Marqueses de San Mateo de Valparaíso,* esquina de Venustiano Carranza e Isabel la Católica.

Fue una de las más hermosas residencias. Posee un soberbio torreón, hermosa fachada y un gran patio. Es notable su escalera de doble rampa, en caracol de ojo abierto. Fue construida por don Francisco Antonio Guerrero y Torres entre 1769 y 1772. Hoy es propiedad del Banco Nacional de México.

*Casa del Conde de Heras y Soto,* esquina de Chile y Donceles. Toussaint considera que es la residencia que cuenta con los más finos relieves de cantera. La portada con el balcón arriba y un hermoso barandal de bronce es muestra del churriguerismo, como el ornato de la esquina. Muy deteriorada, ha sido rescatada y restaurada con gran decoro.

*Casa del Marqués de Santa Cruz de Inguanzo.* Se supone que es la que lleva el número 62-A de la calle de Venustiano Carranza. Tiene dos pisos, más bajo el primero que el superior, un enorme coronamiento de arcos invertidos y grandes perillones a guisa de almenas. Sus muros son de tezontle y cantera.

*Casa del Conde de la Torre Cosío,* Uruguay 90. Queda la fachada muy alterada. De su interior lo más admirable es su gran escalera.

*Casa del Conde de la Cortina,* Uruguay 92. Contigua a la anterior. Todavía se puede apreciar su fachada, una gran puerta con balcón arriba, los marcos de puertas y ventanas de cantera con almohadillas y torreón en la esquina. Al abrirse la avenida 20 de Noviembre, cortaron gran parte del edificio.

*Casa del Conde de Regla.* De dos pisos, construida con tezontle, gran zaguán con el balcón y el escudo.

*Casa del Mayorazgo de Guerrero,* esquina de Zapata y Correo Mayor. Son dos casas gemelas; ambas presentan un torreón en la esquina. La primera casa se enfrenta a lo que es el Museo de las Culturas y ostenta una fachada de tezontle y cantera. En la entrada de ese edificio instaló José Guadalupe Posada su último taller.

*Casa de los Mascarones,* en Ribera de San Cosme. Fue la residencia campestre del Conde del Valle de Orizaba; su construcción se hizo de 1766 a 1771. La fachada está formada con bellísimas columnas estípites terminadas en cariátides que encuadran las elegantes ventanas, muy ornamentadas.

Fuera de la capital también se levantaron hermosas residencias. En primer lugar debemos referirnos a la ciudad de Puebla, donde las fachadas de las casas revestidas de azulejos y ladrillos, se adaptan al ambiente mudéjar de la ciudad; el interior muestra patios con corredores, sostenidos por piedras que soportan arcos rebajados, característicos de esa ciudad churrigueresca por excelencia. El mejor ejemplo es la *Casa del Alfeñique,* por la delicadeza de sus relieves, que justifican su nombre correspondiente al dulce mudéjar hecho de almendras y azúcar. Fue su constructor a fines del siglo XVIII don Antonio de Santa María Inchaurregui. En la actualidad aloja al Museo de la Ciudad.

En Querétaro es necesario mencionar en primer lugar la llamada *Casa del Falcón,* delicadamente hecha con cantera rosa, que al parecer fue propiedad del Marqués de Villa del Villar del Aguila. La llamada *Casa de los Perros* muestra un tipo de esculturas que engalanan numerosas casas de la ciudad.

En Oaxaca la arquitectura urbana es singular; casas bajas, robustas, dada la frecuencia de los temblores, con patios y habitaciones en los cuatro corredores. Mientras que en Morelia, la amenaza sísmica es menor; por ello,

*Detalle de la decoración de la bóveda de la Iglesia de Santo Domingo de Oaxaca. Siglo XVII.*

las casas de la antigua Valladolid son esbeltas, sus patios tienen columnas finas y arcos atrevidos.

Las casas de San Luis Potosí se acomodan al accidentado relieve montañoso. Así, las casas del viejo Real de Minas son diferentes a las demás del Altiplano. Siguiendo el perfil del terreno donde se erigió la ciudad, unas casas se encaraman en las alturas y otras en los bajos, lo cual le da un especial encanto a la ciudad.

Taxco, lo mismo que Guanajuato, por haber sido construido en un mineral, cuenta con una casa señorial, la *Casa Borda,* que perteneció al creador de la ciudad. La llamada casa de Humboldt es un bellísimo ejemplar, su fachada oculta los desniveles interiores. Algo parecido ocurre en Zacatecas, Pachuca y Tlalpujahua.

En la ciudad porteña de Veracruz se usó en las construcciones la piedra llamada *múcara* integrada por restos sedimentarios de millares de conchas de mariscos, que equivale por su resistencia y ligereza al tezontle empleado en otros lugares. Las casas del viejo Veracruz son altas, de dos y tres pisos, con patios estrechos y sombríos que ayudan a aminorar el calor; poseen grandes balcones con doseles y cortinas. No se emplea el metal que corroen las sales marinas, sino maderas tropicales, imputrescibles.

# 8

## EL BARROCO EN OTRAS ARTES

### La escultura

Como opinan Toussaint, De la Maza y Justino Fernández, la escultura estuvo sometida a la arquitectura durante el apogeo del barroco churrigueresco; por ello, es un complemento decorativo, que llega en ciertos casos a ser ampuloso. Se emplearon ojos de cristal, dientes naturales y cabellos humanos, recursos prohibidos por los concilios, pero impuestos por el mal gusto de sacerdotes y fieles.

Los centros de mayor producción escultórica fueron la ciudad de México, Querétaro y Puebla; lo cual no quiere decir que no se produjera en Guadalajara, Morelia y otros lugares.

En la capital, Jerónimo de Balbás talló los retablos del Perdón, de los Reyes y el Mayor o Ciprés, destruido a mediados del siglo XIX. Fue a Acapulco a recibir, trasladar y luego instalar, la famosa reja del coro de la Catedral Metropolitana. En 1732 hizo el retablo de la capilla del Tercer Orden, en el atrio del convento de San Francisco de México. Volvió a España, pues por

1761 presentó un proyecto para la Catedral de Sevilla. En la segunda mitad del siglo XVIII, se encuentra en México Isidoro Vicente Balbás, quien realizó los portentosos retablos de Santa Prisca en Taxco y el proyecto para terminar la fachada de la Catedral de México.

La escultura combinada con la arquitectura en las grandes tribunas voladas que rodean el coro de la Catedral Metropolitana se sabe que fue obra del arquitecto José Eduardo de Herrera y de Domingo Arrieta, quizás el escultor.

Los escultores de México, cuyos nombres se desconocen, hicieron las estatuas de Tepotzotlán y de Taxco. Los hermanos Felipe, José, Carlos e Hipólito Ureña parecen ser los autores del retablo de los Gallegos, dedicado a Santiago en la capilla del Tercer Orden de San Francisco de México, dorado como el de los Reyes de la Catedral Metropolitana por Francisco Martínez. De los hermanos Ureña son los retablos de San Francisco de Toluca dedicados en 1729, de un churriguerismo evidente, lo que hace a esos escultores anticiparse a Balbás en la introducción del churriguera en México. Vive en la capital del virreinato por 1753 don Juan de Sállagos, quien hizo retablos y esculturas. Puede decirse, finalmente, que lo característico del grupo de México es su perfección en el tallado y estofado.

En Puebla, la escultura del siglo XVIII está dominada por la familia Cora. El primero de ella, José Antonio Villegas Cora, nació en Puebla en 1713 y murió allí mismo en 1785. En el templo de San Cristóbal hay de él una *Purísima,* una *Santa Ana* y un *San Joaquín* firmados; en San Pablo, un *San José* y en San Francisco una escultura del mismo santo y una *Dolorosa;* en el convento de la Merced y en el del Carmen, esculturas de la Virgen y además las estatuas de *El Salvador* y de un *Patriarca.* En el primero de los monasterios las de *San Ignacio* y *San Francisco Javier.* En San Matías, la estatua de este santo y en San Antonio, antes llamado Santa Bárbara, un *San Pedro Alcántara* en su altar, una *Purísima* y un *San Juan Nepomuceno.* Se cita además una estatua de *San Roque.*

José Zacarías Cora, sobrino de José Antonio Villegas Cora, también nació y murió en Puebla, trabajó como aprendiz de su tío y realizó muchas obras en su ciudad natal; entre las más valiosas está el gran *San Cristóbal,* que se conserva en la iglesia de su advocación. Llamado por Tolsá —que es su mejor elogio— vino a México a esculpir las estatuas de una de las torres de la Catedral Metropolitana y dos de la otra. El tercer Cora, que se llamaba también José Villegas, hizo una *Santa Teresa* que se conserva en su templo.

Querétaro fue siempre tierra de artistas. Trabajaron allí varios escultores barrocos. Dos de ellos fueron Ignacio Mariano de las Casas y Francisco Martínez Gudiño. Toussaint supone que habiéndose construido el convento de San Agustín, hicieron los hermosos retablos de Santa Rosa. Se les atribuye también el coro de la iglesia de Santa Clara.

Por otra parte, Tres Guerras atribuye a Gudiño los retablos de Santa Clara. El propio Tres Guerras habla de otro escultor apellidado Roxas, de quien dice haber visto varias obras.[52]

Del escultor Bartolico se mencionan varias escultu-

---

[52] *Ocios de Tres Guerras.* Manuscrito en la Biblioteca de la Academia de San Carlos de México, copiado por el doctor Francisco de la Maza.

ras; la más famosa es el *Jesús Nazareno de las tres caí-das;* Zelas le atribuye un *San Pedro* en la sacristía del templo del mismo nombre, un *San Juan Nepomuceno* en la nave de la iglesia de Guadalupe y un *Jesús Crucificado,* de 1807, que se colocó en el templo de los Hermanos del Cordón de San Francisco. Tres Guerras habla de un grupo de cuatro arquitectos que laboraron en Querétaro y Celaya haciendo retablos: Zápiri, García, Ortiz y Paz. Zápiri trabajó en los altares del frente de las naves laterales de la Catedral de Morelia y a principios del siglo XIX estaba en Mérida. De Ortiz se conoce un *San Agustín* hecho en altorrelieve.

En el sureste se distinguen tres zonas: Chiapas, Campeche y Yucatán. Los escultores de allí fueron muy influidos por los guatemaltecos; pero no se saben sus nombres, lo cual demanda una investigación. En San Cristóbal las Casas hay un *Juan Diego* vestido de chamula, en la iglesia de Guadalupe. En Campeche un *Cristo,* el de *San Román* en su ermita. Toussaint vio en Mérida un *Jesús con la Cruz a Cuestas* de la Candelaria, que estima como muy buena escultura.

## Orfebrería y platería

Como ha señalado acertadamente Anderson, la dinastía de los Borbones sacudió al Imperio español con la magnitud de sus reformas administrativas:

*La inteligencia, competencia y energía de los reyes españoles del siglo XVIII, quienes devolvieron a España su antiguo prestigio durante él, se reflejó en México con el envío de sus virreyes, los que, con excepción de Branciforte, contribuyeron en mucho al adelanto del país durante esa centuria.*

*La extracción de metales preciosos asumió grandes proporciones. Desde la incorporación de la Casa de Moneda de México a la Real Corona (año de 1733) hasta el año 1790, se acuñó la enorme cantidad de $810.905,885.00.*

*El aumento se demuestra comparando la acuñación del año de 1733, que fue de $10.175,895.00, con la de 1791, que ascendió a $21.121,713.00, sin agregar a esta cifra dos millones de pesos, valor de la plata remitida a España por cuenta de Su Majestad, el mismo año.*

*De manera que el primer factor indispensable para el desarrollo del arte de la platería, esto es, la riqueza, existía. Los factores complementarios: la cultura, el fervor religioso y la exigencia de joyas y alhajas, seguían en aumento, y los descendientes de los conquistadores, ya en decadencia, demandaban aún plata labrada en fuertes cantidades para el adorno de sus palacios.*[53]

El aumento de la demanda de plata, tanto en pasta como convertida en los más diversos objetos, aumentó vigorosamente; esto llevó a diferenciar dentro del gremio de plateros a los artífices de los comerciantes. Así encontramos que los artesanos eran "maestros plateros", y los que se llamaban "patrones de platería" se dedicaban especialmente al tráfico de los productos plateros.

Muy tempranamente las autoridades virreinales dieron sus primeras ordenanzas al gremio de plateros. El virrey don Luis de Velasco estableció, el 30 de octubre de 1563: "...que ningún batihoja examinado no pueda vivir ni ussar su oficio en cassa y compañía de ningún mercader, ni otra persona que no sea del mismo oficio,

---

[53] Lawrence Anderson, *El arte de la platería en México*, México, Edit. Porrúa, 1956, pp. 136 y 224.

sino que viva Solo teniendo su cassa y tienda de por sí en la calle de San Francisco so pena de cien pesos".[54]

La producción platera comenzó a diferenciarse. Los centros más importantes de concentración eran las catedrales. En primer lugar la de México, después la de Puebla y en seguida la basílica de Guadalupe; pero catedrales como la de Morelia, Oaxaca y Guadalajara cuentan con grandes tesoros, así como los santuarios de Ocotlán en Tlaxcala, del Señor de Chalma, de San Juan de los Lagos, o capillas como la del Rosario en Puebla, la Soledad en Oaxaca y la de los Remedios en el Estado de México.

La Catedral Metropolitana posee las joyas que don José de la Borda destinaba a la parroquia de Santa Prisca en Taxco y que por apremios económicos tuvo que entregarlas a su acreedor más implacable, doña Josefa Aróstegui viuda de Fagoaga, quien más adelante las vendió al templo mayor del país en ciento dos mil cuatrocientos sesenta y seis pesos y dos tomines. Ese tesoro consistía en un juego de oro y pedrerías formado por una custodia —solo la parte alta—, copón y cáliz y un conjunto enorme de piezas de plata. La custodia estaba ornada con cuatro mil ciento siete diamantes por una cara y mil setecientas cincuenta esmeraldas por la otra, a la que se agregaron en 1777 un pie no menos rico hecho por el platero Antonio del Castillo. El tesoro catedralicio se acrecentó más tarde con las alhajas de San Pedro y San Pablo y Tepotzotlán, que pertenecieron a los jesuitas expulsados y que compró la Junta de Temporalidades.

[54] Manuel Carrera Stampa, *Los gremios mexicanos*, México, EDIAPSA, 1954, p. 196.

*Talla de madera policromada de la Capilla
de la Igleisa de San Francisco Xavier de Tepotzotlán.
Museo del Virreinato; Estado de México.*

La catedral de Puebla era también riquísima. Se habló de una custodia llamada "la torrecilla", obra usada en la fiesta de Corpus que medía "una vara —más de 83 centímetros— y estaba adornada con diamantes y esmeraldas. Había una gran lámpara de plata mestiza —sobredorada— hecha por Diego Larios. Además cuarenta y ocho blandones de vara y media cada uno; cuatro de dos varas y tres cuartos, cuatro jarras de igual medida y otras cuatro de un tercio de vara. Finalmente veinticinco candiles, entre ellos seis de lámparas.

La riqueza de la Basílica guadalupana es muy grande y se acrecienta constantemente. Romero de Terreros ha hecho la descripción de las piezas más notables que conoció.[55]

La pieza más importante es el trono rehecho en 1703 por fray Antonio de Jura, con marco de oro para la imagen; dos candiles de oro que pesan mil doscientos trece castellanos y una lámpara de plata con setecientos cincuenta marcos. La reja del coro con los balaustres y sobrepuestos de plata, obra del platero Eugenio Batán, es de 1752. El famoso santuario de Ocotlán en Tlaxcala, guarda hermosos ejemplares de plata en su altar mayor y un soberbio frontis con sus frontaleras y su sagrario. Tales obras están descritas por Pérez Salazar.[56]

Las obras primitivas de ese santuario parecen haber sido hechas gratuitamente por Antonio Fernández y las mejor acabadas por el platero poblano José de Izunza, en 1789.

En Guanajuato existe una Virgen hecha de plata

[55] Manuel Romero de Terreros, *Las artes industriales en la Nueva España,* México, Edit. Porrúa, 1923.
[56] Fray Carlos Céspedes Aznar "Francisco Pérez Salazar", *La plata labrada del santuario de Nuestra Señora de Ocotlán.*

cincelada, que consta de tres cuerpos simulando arquitectura, con pilastras y multitud de figuras.

Gracias a los retratos de la época podemos conocer
las joyas que portaban las damas acaudaladas: collares
de tres o más hilos de perlas, con joyas colgantes; pendientes con piedras preciosas; pulseras de oro con perlas
en muchos hilos; sortijas; relojes que colgaban de la
cintura. Los potentados gastaban en botonaduras con
piedras preciosas; cajas de oro para el rapé; oro o plata
con piedras preciosas para las hebillas de los zapatos,
los puños de las espadas y de los bastones. Las conde-
coraciones y las veneras eran joyas de piedras preciosas
y esmaltes.

Los objetos de uso doméstico hechos de plata eran
braceros, fuentes, saleros, palanganas, aguamaniles, candeleros, tijeras, arandelas, salvas y salvillas, azafates,
tachuelas, piletas para agua bendita; tinteros compuestos
generalmente de tres piezas: tintero, oblajero y marma-
jero, todo sobre una bandeja también de plata. El uso
de la plata era tan general que aun las casas de mediano
pasar poseían plata en vajillas, cubiertos, braserillos y
lavamanos.

## Dorado y estofado

El auge del barroco impuso la elaboración de grandes
retablos, los cuales todavía se hacen, aunque de menor tamaño. La base de los mismos eran de madera resistente
a los parásitos y los hongos, la cual, convenientemente
ensamblada, era tallada con figuras de follajes, racimos
de frutos, niños, etc. Después venía el dorador, quien
cubría el tallado con una fina capa de yeso para cubrir
todas las asperezas que hubieran dejado los talladores.

Sobre la capa de yeso se extendía otra delgadísima, de-nominada *sisa,* de color oscuro. Hoy se emplea blanco de España. Sobre esta preparación se aplicaba en frío el oro que el batihoja había reducido previamente a lámi-nas delgadísimas.

A las estatuas se les aplicaba la misma técnica, salvo la cabeza y las manos. Sobre el oro que cubría las fi-guras se grababan con un punzón diversos dibujos imi-tando los bordados. Después se aplicaba la pintura cu-briendo la capa de pintura, a imitación del color de la tela; tal técnica se llamaba *estofado.* A la cara y las manos después de aplicada la capa de yeso, se le ponía pintura del color de la carne, tarea que se llamaba *encar-nación;* podía ser mate o brillante, lo cual se lograba con bruñidores especiales.

## Bronce, latón y cobre

El bronce no era conocido por los indígenas; fueron los conquistadores quienes lo hicieron y aplicaron a propó-sitos militares, pues como se sabe, los cañones de en-tonces eran de bronce. Hernán Cortés supo que en la región de Taxco había minas de estaño; como ya los aborígenes conocían el laboreo del cobre, se pudo hacer la aleación que permitió a los españoles fundir sus pro-pios cañones.

El bronce tuvo también aplicaciones catequizadoras: se hicieron con él campanas para los templos que se eri-gían sobre el enorme territorio que se iba colonizando.

La barandilla que forma un pasillo del coro de la Catedral Metropolitana es de bronce, así como sus ba-laustradas y pasamanos y los ángeles que sostienen can-delabros. Los hicieron José de Lemus, maestro latonero y cobrero, ayudado por el maestro de los mismos oficios don Manuel Castillo. El trabajo se realizó en 1745.

La reja de la Catedral de México no fue hecha aquí; sin embargo, Toussaint opina que debe ser considerada como obra del virreinato, pues el autor de los dibujos fue el prestigiado pintor Nicolás Rodríguez Juárez. El proyecto se envió a China y se realizó en Macao por artífices de allá, bajo la dirección del artista Sangley Quialó, a quien hubo de explicársele los pormenores por medio de un franciscano. Se emplearon los metales preciosos tumbago y calaín; el primero es una aleación de bronce, con gran proporción de oro, y el segundo, otra aleación más clara. Jerónimo de Balbás tuvo que viajar hasta Acapulco para recibirla, dirigir su traslado y finalmente su adaptación, pues resultó de mayor tamaño que el espacio que se le destinaba.

El bronce también se usaba en los balcones y barandales, para quicialeras de puertas de los templos y residencias; para los chapetones de las mismas; en candelabros, ornamentos arquitectónicos que solían dorarse a fuego con oro de ley y para inscripciones. También se hacían pequeñas piezas que seguramente hemos alcanzado a mirar: tinteros de diversas formas geométricas, almireces, con relieves en la superficie, campanillas de mesa, cantoneras para los grandes libros del coro; millares de crucifijos de gran sabor popular.

El "azofar" —latón— se empleó para diversos objetos: la gran palmatoria, el despabilador, el velón o gran candelero torneado u ochavado, que contenía aceite para el alumbrado. Por último, el cobre, relegado a la cocina, dio los cazos y el jarro chocolatero. Toussaint da a conocer la nómina de quienes hicieron campanas para las catedrales de México y de Puebla:

## CAMPANAS DE LA CATEDRAL DE MEXICO
### Según documento de 1796

### SIGLO XVI

| | |
|---|---|
| Simón y Juan Buenaventura. *Doña María* | 1578 |
| Se supone de los mismos. *San Joseph* | —— |
| Se ignora el autor. *Santa Bárbara* | 1589 |

### SIGLO XVII

| | |
|---|---|
| Hernán Sánchez. *Santa María de los Angeles* | 1616 |
| Se ignora el autor. *María Santísima de Guadalupe.* (Tiple) | 1654 |
| Se ignora el autor. *Señor San José* | 1658 |
| Parra. *San Miguel.* (Esquila) | 1684 |
| Se ignora el autor. *San Agustín* | 1684 |

### SIGLO XVIII

| | |
|---|---|
| Manuel López. *San Gregorio* | 1707 |
| Se ignora el autor. *Santa Bárbara.* (Tiple) | 1731 |
| Juan Soriano. *San Rafael* | 1745 |
| Se ignora el autor. *Nuestra Señora del Carmen.* (Tiple) | 1746 |
| Juan Soriano. *San Juan Bautista y Evangelista.* (Esquila) | 1751 |
| José Contreras, Azcapotzalco. *San Pedro y San Pablo* | 1752 |
| Se ignora el autor. *San José.* (Tiple) | 1757 |
| Se ignora el autor. *San Paulino Obispo* (Esquila) | 1758 |
| Bartolomé y Antonio Carrillo. Tacubaya. *San Joaquín y Santa Ana.* (Esquila) | 1766 |
| Bartolomé Espinosa. *La Purísima.* (Esquilón) | 1767 |

Bartolomé Espinosa. *Santiago Apóstol*                    1784
Bartolomé Espinosa. *Santo Angel Custodio.*
   (Esquila)                                              1784
Bartolomé Espinosa. *Nuestra Señora de la Piedad.*
   (Tiple)                                                1787
D. Salvador de la Vega. Tacubaya. *Santa María*
   *de Guadalupe*                                         1791
D. Salvador de la Vega. *Los Santos Angeles*             1791
D. Salvador de la Vega. *Jesús.* (Esquilón)              1791
Se ignora el autor. *Santo Domingo de Guzmán.*
   (Tiple)

## PRINCIPALES CAMPANAS DE LA CATEDRAL
## DE PUEBLA [57]

### SIGLO XVII

Francisco Márquez. *Doña María*                          1637
Diego Márquez Bello. *San José*                          1638
Antonio Campos Herrera. Algunas campanas                 1673

### SIGLO XVIII

Antonio de Herrera y Mateo Peregrina.
   *Jesús Nazareno*                                       1731

### OTROS DATOS
### SIGLO XVII

Hernán Sánchez el mozo, oficial de campanero             1622

---

[57] Manuel Toussaint, *El arte colonial en México*, México, Instituto de Investigaciones Estéticas, Universidad Nacional Autónoma de México, 1962, pp. 143 y 144.

## Hierro forjado

El hierro forjado contribuyó también a la arquitectura barroca de aquellos años aun cuando tal material se empleaba desde el siglo XVI tanto en templos como en edificios públicos y residencias particulares en rejas, barrotes, barandales y otros menesteres.

Los ejemplos más notables son las tres rejas del templo de San Francisco, Santa Clara y Santa Rosa en Querétaro, las más ricas imitaban la primitiva herrería española, según observó Romero de Terreros. Más delicadas son las rejas de Santa Prisca de Taxco, verdadera filigrana. Puebla posee muchos y hermosos hierros forjados. Debemos señalar en primer lugar las rejas de su Catedral; las del pórtico de la iglesia de la Compañía; las de la parroquia de San José y una de las de Analco, hechas por Roque Jacinto Illescas en 1758.

En la capital deben mencionarse las rejas del Sagrario, de barrotes y balaustrada. Parecidas son las de la casa cercana a la mina de La Valenciana en Guanajuato. En Oaxaca no hay casa antigua que no tenga rejas, con variados dibujos. Excepto los puertos, desde México hasta los lugares más modestos se empleó el hierro, como lo demuestra la balconería de la *Casa del Alfeñique* de Puebla; los balcones de la casa Fernández de Jáuregui en la plaza del Marqués de la Villa del Villar del Aguila y de la casa López de Calas firmadas por Juan Ignacio Vielma. En San Miguel de Allende son admirables los balcones y barandales.

Las cruces veletas también llenaron funciones decorativas, amén de señalar la dirección de los vientos. Una de las más notables es la de la Catedral de México, cuya colocación se comentó en los siguientes términos:

*Detalle de la portada de la Catedral de Zacatecas,
joya del barroco del siglo XVIII. Su fachada principal
es de lo más rico que se produjo en piedra.*

...*se colocó en la coronilla del cimborrio de esta Santa Iglesia Catedral una hermosísima cruz de fierro, de más de tres varas, con su veleta, grabada en uno y otro lado la oración del* Sanctus Deus, *y en medio de ella un óvalo de a cuarta en que se puso por un lado una bellísima cera de Agnus con su vidriera y en el otro lado una lámina en que se esculpió a Señora Santa Prisca, abogada de los rayos. La espiga de dicha cruz es de dos varas y todo su peso catorce arrobas; clavóse en una hermosa peana de cantería.*[58]

Se pueden mencionar las cruces del Santuario de Ocotlán de Tlaxcala; las de San Martín Texmelucan en la iglesia de San Francisco Ecatepec, cercana a Puebla.

El hierro se empleaba para hacer herraduras, frenos, espuelas, hebillas y chapetones. En Amozoc, cerca de Puebla, se hacen incrustadas de diversos materiales para animales de silla.

Se hacían moldes de hierro para elaborar las hostias, romanas o balanzas, tapas de jarrones, despabiladoras, trébedes y muchos objetos más.

La agricultura empleaba el hierro desde la humilde *coa* de los indígenas, hasta los yunques, martillos, marros, rejas de arados, tenazas, herramientas para albañiles. La cerrajería muestra la imaginación de sus forjadores en las chapas de puertas, visagras y chapetones de zaguanes. Una buena colección de chapas se guarda en el Museo Bello de Puebla, formado por don Salvador Miranda; le sigue en importancia la del Museo Nacional de Historia de Chapultepec.

---

[58] José Manuel Castro de Santa Ana, *Diario de Sucesos Notables,* 1752-1754.

Los cerrajeros produjeron también candados, llaves, aldabas, cerrojos, pasadores, bisagras, picaportes, clavos y chapetones, que se usaban para decorar las puertas conquicialeras, gorrones, llamadores y chapetones. Los llamadores de las casas se hacían con figuras de perros, leones, lagartos, serpientes; máscaras grotescas de hombres o animales.

Como el hierro, el acero se trabajaba especialmente para armas: espadas, espadines, puñales, lanzas, alabardas, mosquetes, trabucos, escopetas y pistolas. Las mejores eran europeas, especialmente de Toledo. También se hicieron corazas, petos, cascos, yelmos, cotas de malla, adargas y broqueles.

Los menesteres pacíficos demandaban también objetos de acero: cuchillos, tijeras, agujas, navajas y cortaplumas, algunas de las cuales adoptaban formas de animales. El Museo Nacional de Historia tiene una breve pero interesante colección de esos objetos.

# 9

## EL MUEBLE Y LA CERAMICA

### Muebles

Los muebles barrocos del siglo XVII se caracterizaron por sus patas en forma de columnas salomónicas y ornamentos parecidos a los de los retablos entallados. La influencia morisca en tales muebles es evidente.

Los muebles eclesiásticos como las grandes cajoneras se encuentran todavía en las sacristías de los templos. Sus tableros están cubiertos de relieves barrocos.

La silla es el mueble más común e indispensable. La de asientos de tule traída de Andalucía, se sigue usando allá y aquí. En el siglo XVII tuvo gran empleo el sillón, el cual se ve en todas las pinturas de la época. El asiento y el respaldo eran de baqueta, bordados de pita con labores muy delicadas. En el siglo XVIII la moda europea inglesa y francesa se impuso formándose en tales estilos los "ajuares", integrados con uno o dos "sofás", varios sillones de brazos, algunas mecedoras y una docena de sillas. Priva el estilo inglés Reina Ana y Chippendale.

Las camas siguen siendo de madera de granadillo, de finas patas torneadas, pero en el siglo XVIII se las pinta de varios colores con la técnica del "maque", e inclusive se las adorna con cuadros al óleo.

Los armarios tienen paredes y puertas entableradas, que forman pequeños casetones; los hay grandes, decorados con mosaicos de maderas finas, de hueso o de concha, bellas obras de marquetería.

Los *escritorios* eran grandes armarios en cuya parte media había una tapa inclinada, la cual se abría apoyándose en dos soportes que se retiraban del mismo cuerpo del mueble y así servía de mesa de escribir. A los lados tenía gavetas y cajones "secretos". En el interior se guardaba el "recado de escribir": papel, tinteros, marmajeros, oblajeros, plumas de ave con el cortaplumas que las tajaba.

Las *cómodas* aparecen en aquellos años y subsisten en los nuestros, sustituyendo con ventaja a los arcones y cofres, donde todo estaba revuelto. La cómoda es un arcón alto con varios cajones, que permite colocar en ellos ordenadamente la ropa y los objetos en sitios determinados. Se hicieron de maderas finas.

Las casas elegantes adornaban sus muros con grandes espejos con marcos de maderas finas y entallados; los mejores eran venecianos. En los muros se colgaban también las *cornucopias,* que tenían varios candeleros para velas.

En cuanto al *mobiliario eclesiástico,* en nuestra opinión, es necesario considerar las *sillerías del coro* de diversos templos. La más valiosa y casi intacta perteneció al antiguo templo del convento de San Agustín de México y fue trasladada al salón de actos de la antigua Escuela Nacional Preparatoria, llamado "El Generalito", actualmente centro cultural de la UNAM. Fue obra de Salvador Ocampo y se compone de numerosos tableros donde en relieve se representan pasajes de la Biblia. La sillería del coro de la catedral de Durango, se asemeja mucho a la del convento agustiniano.

Le sigue en importancia el coro de la Catedral de México, hecho por Juan de Rojas en 1696. Constituye una manifestación del barroco; está formado por tableros con esculturas de santos y columnillas salomónicas.

La sillería de la Catedral de Puebla más que escultura es ensamblaje de maderas finas incrustadas. La influencia mudéjar es visible. La hizo el maestro Pedro Muñoz de 1719 a 1722.

Lo que quedaba de la sillería del convento de San Fernando de México fue trasladada a la Basílica de Guadalupe, de la capital. Se conserva también la sillería del convento franciscano de Xochimilco, en el Distrito Federal.

Las mesas y cajoneras de las sacristías eran y son muebles que también se elaboraron con un concepto barroco. Las mesas de grandes dimensiones no tenían siempre la misma forma; unas veces las hacían rectangulares, otras en planta de polígono o de círculo. Un ejemplar notable es la de la sacristía del santuario de Ocotlán, en Tlaxcala; otro es el de la iglesia de Santa Rosa, en Querétaro, y la que se conserva en el Museo Nacional de Historia de Chapultepec.

Las grandes cajoneras sirven para guardar la ropa y los ornamentos del culto. Son grandes cómodas que ocupan el espacio cercano a tres muros de las sacristías y poseen características variadas.

Los sillones del presbiterio llegaron a ser obras de arte, como los de la parroquia de Santa Prisca de Taxco que hacen juego con el púlpito, los ambones, el tenebrario y los estantes de la sacristía. Otros tres sillones tan ricos como los mencionados antes, son los de la parroquia de Totomilhuacan, Puebla.

La "credenza", término italiano incorporado definitivamente al lenguaje ritual, es una pequeña mesa donde se colocan las vinajeras, la toalla y la "tercerilla" para la misma.

Los confesionarios llegaban a ser alardes de tallado, como el del Penitenciario de la Catedral de México, los de la catedral de Puebla y los descubiertos por Toussaint en el antiguo templo del convento dominico de Teposcolula, en la Mixteca Alta de Oaxaca.

Por sus calidades merecen ser citados los atriles y fascistoles. Los primeros son de dos clases: los pequeños que se ponen sobre el altar para la celebración de la misa y los de pie, que pueden instalarse en diferentes lugares. Se hacían de maderas finas y los de metal llegaron a ser de oro y plata. Los de la Catedral de México son plenamente barrocos. Los fascistoles no son fijos, se sostienen sobre una gran base. Sobre sus atriles se colocan los grandes libros de coro. El más valioso es el de la Catedral de México, hecho en Filipinas con delicadas maderas de tíndalo y ébano, con estatuillas de marfil, donación del arzobispo de Manila doctor Manuel Rojo, quien había pertenecido a la Curia de nuestra Catedral Metropolitana.

## Cerámica

Desde edades lejanísimas el hombre necesitó recipientes para contener los líquidos que bebía. Sus observaciones le permitieron copiar de su entorno las formas convenientes, y de ahí pasó a elaborarlas. Como sabemos, la invención, fruto de la observación inteligente, ha dado lugar a todas las grandes creaciones de la humanidad.

Los primeros colonizadores de nuestro hemisferio fueron grandes ceramistas. En las comunidades prehispánicas se usaban los barros que su experiencia aquilataba como buenos. Vaillant nos ilustra sobre el particular:

*La alfarería fue el oficio más noble del Nuevo Mundo y quizá ningún otro continente tenga esa múltiple riqueza de forma y de decorado. La plasticidad del barro hacía que fuera fácil de trabajar, y el cocido era sencillo, de tal manera que los productos de alfarería eran una parte importante de los oficios de los indios. En el Valle de México no tenemos huellas de pueblos anteriores a la introducción de la cerámica, y en los capítulos consagrados a la historia indígena hemos visto cómo cada tribu, casi cada aldea, tiene su estilo propio, que fue cambiando gradualmente por medio de lentas mutaciones del gusto del pueblo, en el transcurso del tiempo. En ausencia de relatos escritos, los arqueólogos han podido, afortunadamente, confiar en los estilos de cerámica para unir en el tiempo y en el espacio las relaciones de estas antiguas y olvidadas tribus y crear así una base para la historia del Nuevo Mundo.*

*Los aztecas, como todos los otros pueblos del continente americano, no usaron el torno del alfarero, sino que hicieron sus vasijas con fajas de arcilla, confiando en el ojo adiestrado y en sus dedos delicados, para lograr las formas deseadas. No emplearon moldes para dar forma a sus vasijas, como se hizo ocasionalmente en épocas más recientes en Teotihuacán, ni tampoco hicieron uso, al parecer, del kabal, bloque donde los alfareros yuca-*

*Vista general del interior del templo de San Francisco
Xavier en Tepotzotlán, Estado de México,
actualmente Museo del Virreinato. Construido
en los siglos XVII y XVIII es una de las muestras
de mayor esplendor del barroco mexicano.*

*tecos colocaban sus vasijas, que hacían girar con sus pies para dar forma al barro crudo.*[59]

Para el acabado de sus piezas, los indígenas usaban independientemente o combinadas, las siguientes técnicas: el *bruñido,* es decir la acción de frotar la pieza antes de su cochura hasta sacarle brillo; el *engobado,* o sea el baño con tierras de colores aplicado a las piezas total o parcialmente; el *esgrafiado,* que consiste en el raspado después de quemada la pieza con propósitos decorativos; el *pastillaje,* la aplicación de pequeños trozos de barro a las superficies lisas formando figuras de adorno; el *inciso* o decorado por medio de cortes poco profundos en el barro cuando está en "estado de cuero"; el *calado* que, como el término lo indica, consiste en practicar hendiduras de diferentes formas antes de la cochura y el *impreso mediante sello.*

Tales técnicas fueron modificadas después de la Conquista, cuando se introdujeron las traídas de Europa. La más importante, dado que aceleraba el trabajo, fue el torno, invento que según Nelson probablemente se originó en Irán:

*La uniformidad de muchos de los vasos hechos a mano sugiere el uso de un torno giratorio para rebajar y pulir la forma. En el norte de Irán se ha encontrado alfarería con bordes redondeados que data de aproximadamente 4 000 a. de J.C., lo que puede ser indicativo del uso del primer torno de alfarero. El uso del torno se popularizó lentamente y se continuó haciendo vasos más grandes con la técnica de modelar la arcilla con las manos en un torno vertical. Es muy probable que para*

---

[59] G. Vaillant. *La civilización de los aztecas,* México, Fondo de Cultura Económica, 1960, p. 192.

*esta época la cerámica fuera ya una ocupación predominantemente masculina y de tiempo completo. Hacia 3 000 a. de J.C., el torno alfarero era ya muy común en el Cercano Oriente.*[60]

En cuanto a España, Llubió informa que el torno lo introdujeron otros pueblos: "La rueda o torno se empleó en nuestra península —la ibérica— hasta la llegada de los pueblos colonizadores fenicio y griego." [61]

Cambiaron formas y decoración y se emplearon esmaltes vítreos que se conocen con los términos de mayólica, talavera o engretado. El "vedrio", vidriado o barniz plúmbeo no se usó en España sino hasta el afianzamiento de la dominación musulmana en el siglo X con el Califato de Córdoba y se extendió al dividirse éste en veintiséis reinos de taifas en el siglo XI.

A fines del siglo XVI, por 1580 según documentación publicada por Cervantes, sabemos de la existencia y actividad de Gaspar Encinas, nuestro locero avecindado en Puebla, de 1580 a 1585.[62]

Las primeras ordenanzas de loceros se dieron en Puebla el 28 de marzo de 1666 por el virrey conde de Baños; se actualizaron en la misma ciudad el 25 de mayo de 1682 y para México por el conde de Paredes el 1º de octubre de 1681.

La producción novohispana se diferenciaba claramente de la española. Por ejemplo, en Puebla y México se aplicaba el color en capas gruesas quedando realzado, y

[60] Glenn C. Nelson, *Cerámica*, México, Compañía Editorial Continental, 1980, p. 16.

[61] Luis M. Llubió, Barcelona, *Cerámica medieval española*, Editorial Labor, 1967, p. 14.

[62] Enrique A. Cervantes, *Nómina de loceros*. México, 1938, *Azulejos y loza blanca*, México, 1939.

los azulejos presentaban cierta convexidad en la superficie debido a que la mayor parte de la producción estaba dedicada a las cúpulas de las iglesias.

El azulejo fue creado por los moros en España, como nos informan Guadix y Osma, citados por Llubió:[63]

*Azulejos llaman en algunas partes de España, a cierta suerte de ladrillo vidriado de que suele hacer muy galanas solerías y aforros de paredes. Consta de «al» que significa en arábico «la» y de «zuleycha», que significa este dicho ladrillo, así todo conjunto «alzuleycha» significa «la zuleycha» el dicho ladrillo vidriado. (P. Guadix).*

*En un contrato de 1362 firmado por Johan Albalat y Pascasio Martín, vecinos del lugar de Manises, diócesis de Valencia, ambos «maestros o séasse artífices de azulejos y obra de malicha», se define que por «azulejo» se entiende tabla de barro cocido pintada o vidriada con los colores siguientes: azul, blanco, verde o morado (Osma, Los maestros, doc. 2).*

En el siglo XVII la influencia mudéjar se manifiesta en los azulejos y vasijas decoradas con lazos. Se inicia la talavera en Puebla, copiada de la española, y se presentan ya las influencias de China, así como la elegante escritura cúfica. En el siglo XVIII persisten las influencias orientales en formas y decorado. Las piezas más valiosas son los *lebrillos,* los tibores, los jarrones, los platones, las macetas, los "albanellos", o sea los botamen de los boticarios.

Los azulejos son empleados profusamente en la arquitectura. Se fabrican en Puebla y México, mas es posible que se hicieran en otros lugares.

[63] Luis M. Llubió, *op. cit.*, p. 17.

El azulejo fue elemento decorativo de primer orden en las casas más relevantes que se encuentran en Puebla, como la cocina de Santa Rosa, revestida de azulejos blancos y azules. Actualmente es Museo de Cerámica.

El encanto de las iglesias de Puebla se los da en buena medida la profusión de azulejos en cúpulas y fachadas. El caso más destacado es el templo de San Francisco, cuya fachada está formada por los tableros de azulejos que armonizan con el rojo de los ladrillos y el gris de la cantera.

El templo de Guadalupe de México es atractivo por su decoración de azulejos montados sobre la fachada barroca, que describen el milagro de la aparición. Le sigue el Santuario de Nuestra Señora de la Luz por la combinación en la fachada barroca de los tableros de azulejos sobre los muros rojos. Se debe mencionar también la iglesia de San Marcos que ofrece el mismo dispositivo.

Toussaint considera que el mejor patio de Puebla, y quizá de todo el país, es el de la *Casa de los Ejercicios,* anexa al templo de la Concordia, decorada con azulejos.

Las cúpulas poblanas embellecidas con azulejos son uno de los mejores atractivos de la ciudad. Entre ellas conviene citar la de la Compañía, cuya base es cuadrada. El exterior está cubierto de azulejos del siglo XVIII. La cúpula del templo de la Soledad, decorada en blanco y negro, parece ser de la misma época. La del templo de Santa Catalina es una de las más bellas de Puebla. El palacio arzobispal posee una magnífica decoración de azulejos. Sigue el exconvento de Santa Mónica, hoy museo, de muros de ladrillo y azulejos.

En la ciudad de México, la casa considerada del Marquesado de Ulapa, en la calle 5 de Febrero, cuenta en su parte alta con grandes paneles con figuras del mayordomo, la lavandera, el botillero y otros miembros de la servidumbre. Los azulejos son de México. En antiguas residencias las decoraciones son de azulejos que se encuentran formando lambrines en corredores y escaleras y en los peraltes de las escaleras.

Las fuentes también se revestían de azulejos; algunas resultan monumentales, como la del que fue convento de Regina, localizada en el patio del Hospital Béistegui.

Muchas iglesias mexicanas fueron decoradas con azulejos en lambrines, capillas interiores, torres y cúpulas, como la iglesia de la Santísima y la de Santa Inés. La más importante es la capilla del Pocito de la Villa de Guadalupe de la capital, obra de los artistas Guerrero y Torres, donde los azulejos contrastan con el rojo del tezontle y el gris de la cantera.

# 10

# VIDRIOS, TEJIDOS Y BORDADOS

## Vidrio

Se desconoce el lugar preciso del origen del vidrio. Los objetos más antiguos hechos totalmente de vidrio proceden de Egipto y se datan por el año 2500 a. C.; sin embargo, fue encontrada una varilla de vidrio verde en Mesopotamia y se da como fecha de elaboración el año 2600 a. C. El empleo de un tubo de metal a uno de cuyos extremos se tomaba una pella de vidrio fundido que podía manejar un artesano hábil y darle diversas formas o introducirla en un molde para hacer recipientes, dio gran auge a la producción y comercialización del vidrio en Alejandría. En el siglo I de nuestra era, Roma tuvo la preponderancia en la producción y tráfico del vidrio.

En la Edad Media, Venecia progresó notablemente con la instalación, en la isla de Murano, de numerosos talleres que alcanzaron una gran especialización y calidad en sus productos, condición que llega hasta nuestros días. El arte veneciano de la producción de cristales se extendió después a Francia, Austria, Alemania, Portugal y España, y de allí a nuestras tierras.

Mientras la arquitectura románica privó en Europa, la pintura al fresco sirvió para decorar templos y palacios. El gótico, por el contrario, abandonó o cuando menos relegó el fresco y creó los vitrales, una de las formas más hermosas de ornamentación de iglesias, palacios y residencias. Los vitrales se integraban con vidrios coloreados formando figuras que representaban santos, pasajes bíblicos, paisajes o simples decoraciones. Los pedazos de vidrio se unían con tiras de plomo, y todo el conjunto se fijaba en una armadura de hierro que se instalaba en el hueco del edificio destinado a ser ventana o puerta. Los colores primarios rojo, amarillo y azul se empleaban en los vitrales más antiguos. En el siglo XIII se inició el uso de amarillo de plata (cloruro y sulfato de argento).

Los vitrales más conocidos son los de Nuestra Señora de París, los de la Catedral de Chartres, de la de Reims y la de Autun, en Francia; pero también se usaron los vitrales en numerosas iglesias de otros países.

La producción de vidrio en la Nueva España comenzó tardíamente en relación con otras artesanías. El primer taller se instaló en Puebla, según nos informa Leicht:

*El primer vidriero se estableció en Puebla en 1542; llamóse Rodrigo de Espinosa y tenía su horno en la C. 5 N. 400 (Venado), quedando durante varios años el único en la Nueva España (1547). Ya en 1543 le prohibieron cortar leña a menos de dos leguas de la Ciudad, porque gastaba mucho para su oficio. Tal vez necesitaba la leña no sólo como combustible, sino que se servía de la ceniza en vez del tequezquite, no sabiendo todavía aprovechar esa cosa natural de las lagunas. En un memorándum dirigido al rey en 1547, el alguacil mayor de la Ciudad dijo que en ningún otro lugar de la Nueva Es-*

*Detalle de la Capilla del Rosario del templo de Santo Domingo de Puebla, muestra de la riqueza escultórica del barroco poblano.*

paña florecía la industria vidriera y que se fabricaban tres clases de vidrio: blanco cristaleño, verde y azul, exportándoselo hasta Guatemala y el Perú.

El horno en la Calle del Venado dejó de existir entre 1712 y 1723, cuando Antonio Pardo estableció el suyo que duró en su familia casi un siglo. Como dueños aparecen Alfonso Pardo, en 1744, y José Mariano Pardo, español, nacido en 1740 y que en 1773 tenía seis hijas doncellas. Pertenecióle el horno aún en 1788 y 1800. Al mismo tiempo, otro miembro de la familia poseía un horno en la Av. 4 P. 100. (M. Arista).

En el siglo XIX se citan hornos en las siguientes cuadras: C. de Iglesias (Av. 3 P. 500), el de Rementería (1806); éste u otro estaba en la acera Sur, a la espalda de la botica de S. Nicolás, y se tituló Casa de vidriería (1839 y 1847); C. del Solar de Castro (Av. 8 P. 500), el de la Compañía Empresaria (1838); C. de la Portería de Sta. Catarina (Av. 2 P. 300) núm. 13 (1840: Fábrica de vidrios criollos); Plazuela de S. Agustín (1846); C. del Mesón de Sosa (Av. 4 P. 900), en 1860. En 1852 había 4 hornos: Portería de Sta. Catarina, Iglesias (2) y Capilla de Dolores (Av. 4 P. 700), esquina de la Canoa, además una fábrica de vidrios planos en una de las Calles de S. Antonio. En 1885 se registran igualmente 4 hornos: Solar de Castro, Capilla de Dolores, Mesón de Sosa y Fuente de Belén (Av. 6 P. 500); en 1896, 3: Mesón de Sosa, Fuente de Belén núm. 11 y Obraje de Lomba, núm. 6; en 1907, 2: Mesón de Sosa y Corazón de Jesús, núm. 4 (1004); en 1925 igualmente 2: Corazón de Jesús y Callejón I. Llave (Callejón de la Av. 20 P. núm. 2007). (Véase C. B. Juárez 1200).

Aunque el horno de esta Av. 10 Or. 1 siguió existiendo, la cuadra se llama Calle del Horno del Vidrio

Viejo *en el padrón de 1773. En 1788 el nombre es* Calle del Horno del Vidrio, *y así se titula la calle en las Ordenanzas de Flon (1796) y en adelante. La forma más moderna «de Vidrio» se lee ya en el plano de Ordóñez (1849).*[64]

Sin embargo, en nuestro país no se produjeron los extraordinarios vitrales de Europa. Las puertas y ventanas de iglesias y casas se cubrían con telas pintadas, a las cuales se impregnaba de cera y por esa razón se les llamaba "encerados".

Cuando se llegó a producir vidrio plano fue de dimensiones reducidas. Se llegaron a colorear e instalar en la Catedral de México. Sus formas eran geométricas y sencillas, como las describe Sariñana.[65]

En lugar de vidrio se emplearon también láminas de mármol llamado *tecali,* nombre del lugar poblano donde se obtiene. Amén de Puebla, la Catedral de Morelia usa tales mármoles.

Toussaint señala que las únicas vidrieras que conservamos son las del templo de la Profesa, muy maltratadas. Las primeras ordenanzas de vidrieros se dieron el 30 de enero de 1617 por el virrey marqués de Guadalcázar. Por 1642 aparece como maestro de "bedrío del candil" Diego Becerra. En 1721, se menciona a Miguel Maldonado como maestro vidriero y dorador, y un

[64] Hugo Leicht, *Las Calles de Puebla,* México, Comisión de Promoción Cultural del Gobierno del Estado de Puebla, Compañía Editorial Continental, 1967, pp. 188 y 189.

[65] Isidro Sariñana, *Llanto de Occidente en el ocaso del más claro sol de España,* México, 1666. Descripción de las honras fúnebres de Felipe IV.

año después a don Antonio de Quiñones, perito en espejos y cristal.

La producción vidriera de los siglos XVII y XVIII no tuvo nunca pretensiones artísticas. Las piezas que han sobrevivido al correr del tiempo son, pese a los modestos propósitos a que se les destinaba, encantadoras en su sencillez, decorado, colorido y funcionalidad: grandes vasos con grabados en la superficie; frascos para vinaterías; grandes capelos para resguardar imágenes religiosas; bombillas para quinqués o candeleros; los grandes frascos con agua de colores de las boticas y las que llegaban hasta las plebeyas pulquerías.

## Tejidos y bordados

El doctor Alfred L. Kaoeber en su obra *Antropology* (Nueva York, 1923) considera que una de las conquistas más importantes de los primeros pobladores de América fue la invención del tejido, anterior al descubrimiento de la agricultura de secano (maíz, frijol, calabaza) y, consecuentemente, anterior a la alfarería.

Mendizábal, por su parte, opina que los primeros materiales utilizados por esos primeros pobladores fueron los que actualmente llamamos fibras duras (fibras de agaves —magueyes, yucas—), así como las tiras y torzales de pieles de animales. "La segunda etapa de las artes textiles debió ser iniciada con el aprovechamiento de la fibra blanda del algodón silvestre, que para ser aprovechado requirió el invento del huso americano (el *malacatl* nahua) y que por la dificultad de tejer el hilo o el cordón de esa preciosa fibra por el sistema de urdimbre colgante, trajo por consecuencia la creación de una nueva técnica, la del telar americano propiamente dicho, el que llamamos telar de cintura".[66]

A la llegada de los españoles y durante los primeros años del virreinato, la indumentaria indígena era como informaba Francisco de la Mezquita, Corregidor de Atlatlauca y Mainaltepeque.

*El abito y el traxe que traían en la paz eran unas mantas largas de algodón, quadradas, y atauan una punta con otra encima de uno de los onbros —el derecho—, y cubríanlos hasta los tobillos; y estas mantas eran listadas de colores, y texidas muchas labores abaxo. Tenían una como zanefa hecha de labores entretexida por ellas plumas blancas y otros colores, y para este efecto criauan unos paxaros que son de la manera de anadones, saluo que son más grandes y tienen el pico colorado, que los llaman en cuicateco DSACHA, y en mexicano CANAUCLI. Estas mantas traían los prencipales, y las de los macehuales eran de nequen, ques un hilo que sacan de las pencas del maguey, y del hazen una tela muy grosera, y avn muchos dellos avn esto no alcanzavan y andavan en carnes con solo pañetes de nequen; y el cuerpo debaxo destas mantas traian desnudo, y las verguenzas tapauan con unos panetes que colgavan de un cordel que traian ceñidos; los sacerdotes traian estas mantas ceñidas al pescuezo con vn cordel y en esto se conocían. Traían orexeras y bezotes de oro los caciques y los prencipales, y quentas al pescuezo de chalchihuites y de oro, y por zapatos traian vnas como alpargatas saluo que por el peyne del pie no tiene cosa ninguna sino vnas cintas de cuero con que se atan a los*

[66] Miguel Othón de Mendizábal, *Las Artes textiles Indígenas y la Industria textil Mexicana. Las artes textiles en la época prehispánica. En Obras Completas* T. VI, México, 1947, pp. 259-260.

*dedos y al talon que hazen por detras, y los prencipales traian estos talones muy pintados y dorados, y los macehuales no podian traerlo sino llano: llamase este calzado en cuicateco DAQUN y en mexicano CACTLES. Las mugeres traen vna bestidura que hazen de la propia manta de algodón y ciñensela por la cintura y cubrenles hasta los tobillos: llamase en cuicateco TASCAA, y estas traen, las que son prencipales, muy galanas y de muchas colores y texidos en ellas muchos lazos; de la cinta arriba bestian otra bestidura que en cuicateco llaman TEYOTO y en mexicano HUIPIL, ques otra manta quadrada y cosida por los lados, y abierta, por donde sacan la cabeza y los brazos: eran estos huipiles muy galanos y con la misma zanefa por abaxo que las mantas de los yndios, y tanbien por la abertura por donde sacan la cabeza tienen su zanefa de colores y plumas; el propio abito traen oy saluo que los yndios traen ya camisas y zarahueles y xubones de manta de algodón, ques como lienzo, y muchos traen xaquetas de paño azul y verde y asi mesmo zarahuelles de lo propio y capotes y asi y asi mesmo zarahuelles de lo propio y capotes y zapatos y botas de cuero; y otros traen los capotes y xaqueta e zarahuelles de sayal, y no ay diferencia de los macehuales a los prencipales, sino que cada vno biste conforme a su posible que alcanza, y muchos por no tener ninguno andan en carnes."* [67]

Los españoles introdujeron grandes cambios en el atuendo indígena, especialmente en el de los hombres, a quienes obligaron a usar camisa y calzón, por motivos religiosos y morales. En el caso de las mujeres indígenas, solamente las grandes cacicas cambiaron su manera

[67] *Papeles de Nueva España. IV.* Madrid, 1905.

de vestir, pero no así la mayoría de las mujeres, que hasta nuestros días continúan portando las prendas tradicionales con nuevos ornamentos, materiales como la lana y tintes industriales. En su obra *Las Calles de México,* González Obregón asegura que en el siglo XVI ofrecían "el curioso espectáculo de ir, unos, vestidos con su antigua indumentaria, sin sombreros, y otros ya con los trajes de los españoles que se habían mandado hacer los caciques ricos y las indias nobles. Al lado de ellos, los conquistadores poderosos y los afortunados encomenderos con ropas de terciopelo, cadenas y hebillas de plata u oro o con armaduras los días de gala o de los alardes y revistas".[68]

Durante los primeros años del virreinato la explotación de la seda gozó de gran prosperidad. El primer virrey don Antonio de Mendoza, criado en Granada, sabía, por sus propias observaciones, sobre la explotación de la preciosa fibra por parte de los moriscos granadinos; dio entonces licencia a varios encomenderos de indios para que plantaran moreras y criasen gusanos de seda. Martín Cortés —no se sabe que haya sido pariente del Marqués del Valle— plantó moreras y llevó adelante la explotación en Tepeji, llamado por esa razón *de la Seda* y la extendió a Huejotzingo. María Aguilar trajo gusanos de España y dio varios a Hernán Cortés, quien logró se aclimataran en Yautepec y Yanhuitlán, de donde se propaló por la Mixteca gracias al fomento de la explotación dado por los frailes dominicos. Desafortunadamente la Corona española prohibió el cultivo de la morera y de los gusanos de seda. Los dominicos que habían estimulado su explotación no obedecieron en un

[68] Luis González Obregón. *Las Calles de México.* Ediciones Botas, México, 5a. edición, 1941, p. 111.

principio, mas las presiones de las autoridades y la tremenda competencia de las sedas provenientes de China traídas por el Galeón de Manila, arruinaron aquella artesanía. Humboldt nos ilustra sobre el particular:

*El cultivo de la morera y la cría de los gusanos de seda se introdujeron por el cuidado de Cortés, pocos años después del sitio de Tenochtitlan. En el lomo de las cordilleras hay una morera propia de las regiones equinocciales, el morus accuminata. Bonpl., que hallamos silvestre en el reino de Quito, cerca de los pueblos de Pifo y Puembo. La hoja de esta morera es menos dura que la del moral rojo (m. rubra) de los Estados Unidos, y los gusanos de seda la comen como la de la morera blanca de la China. Este último árbol, que según Olivier de Serres no se plantó en Francia hasta el reinado de Carlos VIII, el año de 1494, poco más o menos, ya era muy común en México a mediados del siglo XVI. Entonces se cogió seda en cantidad bastante considerable en la intendencia de la Puebla, en las inmediaciones de Pánuco y en la provincia de Oaxaca, en donde algunos pueblos de la Mixteca todavía llevan los nombres de Tepexi de la Seda y San Francisco de la Seda. La política del Consejo de Indias, constantemente opuesta a las manufacturas de México, y el comercio más activo con la China, unido al interés que tiene la Compañía de Filipinas en vender a los mexicanos las sederías del Asia, parecen ser las principales causas que han aniquilado lentamente este ramo de industria colonial. Hace pocos años que un particular de Querétaro propuso al gobierno el hacer grandes plantíos de moreras en uno de los más hermosos valles del México, la Cañada de los Baños de San Pedro, habitado por más de tres mil indios. La cría de los gusanos de seda no necesita tanto*

*El barroco en su etapa final del churrigueresco
es un alarde decorativo opulento.*

*cuidado como la de la cochinilla, y el genio de los naturales es muy a propósito para todas las ocupaciones que exigen una gran paciencia y un esmero minucioso. La Cañada, que está a dos leguas de Querétaro hacia el N.E., goza constantemente de un clima suave y templado. En el día no se cultivan allí más que (laurus persea), y los virreyes, que no se atreven a chocar con lo que en las colonias llaman derechos de la metrópoli, no han accedido a que este cultivo sea substituido por el de las moreras.*[69]

El bordado introducido por los primeros evangelizadores fue muy pronto ejecutado por los indígenas. Carrillo y Gariel consigna que Fray Alonso de la Mora compró en cuarenta pesos "una basquiña de raso blanco bordada de torzal de seda curiosa", hecha por las naturales de Tzontecomalan. Especialmente la Iglesia aprovechó la expansión de la técnica del bordado para las numerosas prendas eclesiásticas. Toussaint menciona ornamentos bordados por indígenas, que figuran grupos de ángeles indios que descienden formando estípites ideales, notables por el movimiento sugerente. Sobre fondo de oro se bordaron amapolas mexicanas, las cuales denuncian las manos ejecutantes.

En la nómina de bordadores del año 1754 se consigna que: "Juan Esteban del Castillo, indio ladino de toda razón que dijo serlo. Cacique, casado con Joachina Díaz, española, maestro de bordador que vive en el Callejón de la Condesa, en una casa de vecindad. En 1764 era examinador y veedor".[70]

[69] Alejandro de Humboldt, *Ensayo Político sobre el Reino de la Nueva España*, pp. 208-209.

[70] Archivo General de Hacienda.

El lujo no era privativo de los funcionarios de la Iglesia. También los seglares vestían lujosamente, según nos lo señala el P. José Mariano de Abarca, quien hace la crónica de las fiestas celebradas en México en 1747:

*El vestido de todos era el mismo, de solapas y calzones de ante, guarnecidos con galones de Milán de plata, los que, por alguna distinción, llevaron las caudillos solos, bordados. Encima del calzón de ante y solapas, sacaron otros calzoncillos y medias mangas, éstas y aquellos de tela blanca, y guarnición de plata, acuchillados, por donde se divisaban los forros, cuyos colores eran los distintivos de las cuadrillas. Y así la del Señor Corregidor se distinguía en los forros y cabos verdes; la del Señor Conde de Santiago, en los forros y cabos apastillados; la del Señor Conde del Valle de Orizaba, en el color azul de entrambos; y la del Señor Marqués de Uluapa en el color de pusol de los mismos. Sobre ricas medias, sacaron todos medias botillas guarnecidas con punta de plata, y bandas cruzadas desde el hombro derecho hasta el terciado, con sus caídas de rica punta de Milán; capas cortas, como las de los Abates, de tela blanca còn flores de persiana; peluquines cortos a la Romana; sombreros de tres dedos de falda, con toquillas y pedradas de ricos diamantes, y al descuido una pluma de color de pusol en el lado derecho; en la cinta, terciados con guarnición de plata.*

*Cada caballero sacó dos lacayos, vestidos de volantes con camisones de olán, calzones de grana, y medias de seda, con sus toneletes de tela, guarnecidos de flueco y puntas de plata, collares de plata de martillo; bandas guarnecidas con curiosos encajes de plata de Milán, y birretinas de terciopelo y tisú de plata, con plumas y en el frontacho, curiosamente bordadas las armas de su dueño.*

*El aderezo de los caballos era diverso: porque la cuadrilla del Señor Corregidor lo sacó de tela verde de plata, guarnecido con galones de plata de Milán; la del Señor Conde de Santiago, de tela azul; la del Señor Conde del Valle de Orizaba, de tela pajiza; y la del Señor Marqués de Uluapa, de tela encarnada, guarnecidas también como la del señor Corregidor con el mismo galón de plata de Milán. Si bien todas las sillas eran iguales, y cortadas al propósito, ni del todo bridas ni del todo vaqueras, con pretales guarnecidos de plata, cascabeles y florones también de plata de martillo, y las mantillas o anqueras con sus higas y guarniciones de lo propio, las estriberas eran de lomo, y las espuelas con rodajas grandes al uso de este reino, una y otras plateadas a fuego, sino fueron las de los cuatro caudillos, o Guías, que eran de plata de martillo.*

*A cada cuadrilla le precedía un clarinero, siendo el vestido de los cuatro de una misma tela, las sillas iguales y de plata los clarines. Con sus acentos armoniosos saludaron todas las cuadrillas a sus Padrinos, quienes ya habían hecho su entrada en la Plaza y tomando la venia de su Excelencia, con las ceremonias acostumbradas en semejantes festines. El Señor Don Pablo Madrazo y Escalera, Rueda y Velasco, Marqués del Valle de la Colina, Vizconde de San Eugenio, Montero de Cámara de su Majestad, Señor y Dueño de las casas de Madrazo y Escalera, fue padrino de dos cuadrillas, de las cuales eran cabos, o caudillos, el Señor Conde de Santiago y el Señor Marqués de Uluapa. De las otras dos, que regían el Señor Don Gregorio Bermúdez Pimentel, corregidor de esta ciudad y el Señor Conde del Valle, lo fue Don Joseph Antonio Bermúdez, Ulloa y Sotomayor, General que fue de los galeones de Filipinas, y actual go-*

bernador y Justicia Mayor del Estado y Marquesado del Valle. Ambas personas, muy calificadas en estos reinos, y en cuyos esclarecidos renombres, como en limpios sobre-escritos, se lee la generosa lealtad, garbo y bizarria de sus dueños. Atributos que uno y otro manifestaron con el tren que sacaron en la presente celebridad; pues el Señor Marqués se dejó ver este día en el circo, hecho una primavera, con vestido floreado todo de plata de lustrina, color de aceituna, chupa de persiana de oro y plata, con flores de primavera de terciopelo de varios colores, sombrero con guarnición de finísima punta de plata, con botón y presilla de diamantes; escarapela y pluma de color de pusol, fustigando la espalda de un airoso canelo, con aderezo de terciopelo azul, con bordadura de realce y fluecos de plata, y el hebillaje y estribos de plata de martillo, botas fuertes con hebillas y espuelas del mismo metal. Sacó por delante dos clarines de plata, y a sus lados seis mulatillos, tres en cada estribo, de volantes, vestidos de encarnado, toneletes y bandas blancas, con encajes anchos de plata, birretinas de terciopelo carmesí y en ellas de plata de martillo grabadas sus armas. Los seis llevaron, en el cuello, collares de plata; aretes en la oreja izquierda; y bastones con casquillos de plata, en las manos. Por detrás le seguían doce lacayos mulatos, con libreas de paño encarnado, chupas y bota-mangas de paño blanco, guarnecidas con franjas de terciopelo de varios colores.

Don Joseph Antonio Bermúdez salió con vestido de lustrina color de café, con florones briscados de oro, guarnecido de fino galón de cartulina de Milán, la chupa blanca, bordada de oro; el sombrero con guarnición de cartulina de oro, escarapela y pluma encarnada, y por botón un precioso diamante, del cual subía la presilla *toda de la misma piedra, rematando con una igual en el tamaño a la del botón; las botas fuertes con hebillas y espuelas de plata. Su caballo era canelo, aderezado de terciopelo verde bordado de realce de oro, con hebillaje y estribos de plata de martillo, sobredorada. Llevó también dos clarines de plata, y seis atezados negrillos a los estribos, vestidos de volantes a la italiana, de blanco y sobrepuestos encarnados, con guarnición de plata; y los toneletes y bandas también de encarnado y en ellas de plata de martillo sobredoradas las armas de su casa; los collares de plata, aretes y bastones como los antecedentes. Y también doce lacayos negros atezados, con libreas de paño blanco, chupas de grana, guarnecidas con franjas de terciopelo de varios colores.*[71]

Las artesanías traídas por los españoles unidas a las que se ejecutaban en México, dieron durante buen número de años satisfacción si no total, sí alentadora a las necesidades de la Nueva España. Mas el predominio de los comerciantes peninsulares, amos del monopolio del tráfico con las posesiones españolas de ultramar, deformó todo el proceso productivo tanto en España como en el resto del imperio, sobre todo en la América española. Unicamente Sevilla y Cádiz fueron, durante años, las únicas autorizadas a comerciar con el envío de embarcaciones construidas en España y tripuladas por españoles.

Por cédula de 15 de junio de 1592, que comenzó a cumplirse al año siguiente, se constituyó el *Tribunal del Consulado de la Nueva España,* compuesto de un prior

[71] Citado por Abelardo Carrillo y Gariel, *El traje en la Nueva España,* México, Instituto Nacional de Antropología e Historia, 1959, pp. 162-165.

y dos cónsules, un juez de apelaciones y un procurador radicado en Madrid. Era el tribunal de los comerciantes y tenía como tarea evitar los largos litigios en los pleitos que se suscitaran entre ellos. Tenía jurisdicción sobre la Nueva España, Guatemala y Yucatán, así como sobre lo que se tratase con el Perú y las Filipinas. Ejercía funciones legislativas, administrativas, financieras y militares, pues daba leyes; cuidaba los intereses de los comerciantes; construía obras públicas como aduanas, caminos, puentes, hospitales; recaudaba impuestos y sostenía el regimiento urbano del comercio.

Para defenderse de piratas y corsarios, las embarcaciones procedentes de España se reunían en dos flotas debidamente escoltadas, una destinada a tierra firme y otra a la Nueva España. Ambas navegaban juntas hasta la Isla de Santo Domingo, donde se separaban para llegar cada una de ellas a su destino. Iban precedidas por una nave muy velera llamada *aviso,* que anunciaba la llegada de las flotas y traía el correo de la Península.

La colonización de las Filipinas dio una nueva y vigorosa potencialidad al comercio español y novohispano y, naturalmente, al Consulado de la Nueva España, pues como se recordará, el viaje de Cristóbal Colón tuvo como propósito llegar a las Islas de la Especiería. El comercio con las Filipinas —llamadas así en honor del príncipe Felipe, más tarde Felipe II— fue muy intenso: se traía de ellas: "terciopelos llanos y labrados, raso, damasco, gorgueranos, tafetanes, picotes, tocas, seda floja y torcida, de madeja, hecha pesas y tramas; felpas y otras obras tejidas de ellas y de algodón, sinabafas, bocacíes, holandillas, caniquíes, cemas, pabellones, colchas, cobertores, algalia, estoraque, ámbar, oro, perlas, loza, escritorios y otros muebles y obras de madera, artefactos de marfil y de hueso, diamantes, rubíes y otras piedras preciosas".[72]

Se embarcaban en España los productos de diversos países europeos, inclusive de los que estaban en guerra contra la Metrópoli. En el siglo XVIII, venían de Francia a la Nueva España seda, listones, terciopelos finos y corrientes, medias de lana y de seda, tejidos de algodón y lino. Los holandeses remitían lencería, calicós, cintas, seda torcida, seda ligera, sargas, camelotes, chalones y algunos tejidos de lana. Inglaterra mandaba productos de lana, bayas, perpetuanes y franelas, sombreros finos y corrientes, medias de seda y de lana y sedas de calidad excelente; objetos de cobre, bronce y hierro; juguetes, relojes en muchas cantidades, pescado seco y salazones de Irlanda.

El breve recorrido que hemos hecho sobre los antecedentes, orígenes y evolución del barroco, cuya modalidad postrera del churrigueresco alcanzó en México su expresión más grandiosa, nos permite, al concluir este trabajo, señalar lo que en nuestra opinión da un valor definido a esta forma de arte: la de ser en el siglo XVIII no sólo una gigantesca manifestación estética aún vigente, sino la expresión vigorosa de la nueva nación que se había formado en la matriz virreinal. Sobre este hecho los mejores investigadores mexicanos como Toussaint, Mac Gregor, García Granados, de la Maza, Fernández Enciso, Vargas Lugo, Flores Guerrero, García Preciat, Rojas, Villegas, Del Moral, Obregón Santacilia y Revilla; y los extranjeros como Baxter, Kubler, Bosson, Ayres, Willis,

---

[72] *Memorial del Procurador de Manila.* Transcrito por Riva Palacio y citado por Carrillo y Gabriel en su obra *El Traje en la Nueva España.* Instituto Nacional de Antropología e Historia, México, 1959, pp. 127 y 128.

Sitwell, Gillet, Bevan, los Vhay, Wuthenau, Danes, Mac Andrew y Angulo Iñiguez, coinciden en este juicio. Quien lo expresó de manera más cabal fue el maestro Manuel Toussaint cuando dijo que en el siglo XVII:

*Se está forjando... un nuevo país que trata de encontrar su expresión propia en el lenguaje del arte. La encuentra, tan ajustada a sus deseos como el guante a la mano, en lo que se conoce con el nombre de Arte Barroco... la gran arquitectura religiosa del siglo XVIII es una de las manifestaciones artísticas que pueden considerarse entre las más valiosas del mundo... México ofrece estas obras como uno de sus aportes básicos al arte de la humanidad... Toda esta cultura barroca es homogénea. Acaso la más homogénea cultura que México haya producido. El arte florece al unísono con la literatura, con la oratoria sagrada, con la ciencia en su aspecto externo, con la filosofía escolástica-sofista, con las costumbres. Esta unidad, nunca antes lograda, nos enseña, nos demuestra que el país ha alcanzado su madurez. El México de hoy ha nacido en estas fechas; desde entonces ha podido desarrollar su propia personalidad, libre, espiritualmente, de la metrópoli... (hay que) exaltar a los monumentos barrocos... como a los verdaderos representantes del espíritu de México... arte churrigueresco... responde... al estado social de una colonia en brillante prosperidad... no podemos dejar de ver en la minucia de estos retablos... una remembranza del viejo arte indígena... en su espíritu... Ese «horror al vacío»... entraña un resurgimiento de la habilidad indígena, que es admirada y ensalzada como la expresión más sincera e intensa del mexicanismo en el arte. Por eso se ha considerado esta manifestación artística como la más representativa de nuestra nacionalidad ya formada...*

*Joya inapreciable del arte barroco del siglo* XVIII *es la Capilla del Pocito... la entrañable supervivencia del indio que deja en todas las creaciones que su mente conciba y sus manos ejecutan un sello indeleble de tristeza, de suntuosidad minuciosa, de añoranza...*" [73]

El ineludible correr del tiempo muda los gustos. Las nuevas técnicas arquitectónicas cambiarán la fisonomía de nuestras ciudades puesto que el rostro y el ser de la patria se está haciendo y rehaciendo cada día; pero los mexicanos y extranjeros que nos visiten tendrán en los joyeles de piedra de las sin par obras barrocas, la expresión del genio del pueblo mexicano.

---

[73] Manuel Toussaint. El Arte en la Nueva España, parte del libro *México en la Cultura,* editado por la Secretaría de Educación Pública, México, 1946, pp. 167, 169 y 170.

Otros títulos de la Colección **PANORAMA**

# HISTORIA

### HISTORIA DE MEXICO
De la época Prehispánica a nuestros días.
*Fernando Orozco Linares.*

### LA CONQUISTA DE MEXICO
Desde la llegada de la primera expedición
a las costas de Yucatán, hasta el fin
del Imperio Azteca.
*Fernando Orozco Linares.*

### GUERRILLEROS DE MEXICO
Personajes famosos y sus hazañas, desde
la Independencia hasta la Revolución Mexicana.
*Luis Garfias Magaña.*

### LA INTERVENCION FRANCESA EN MEXICO
La historia de la expedición militar francesa
enviada por Napoleón III para establecer el segundo
Imperio Mexicano.
*Luis Garfias Magaña.*

### LA INTERVENCION NORTEAMERICANA EN MEXICO
Historia político-militar de la pérdida de gran
parte del territorio mexicano.
*Leopoldo Martínez Caraza.*

### LA REVOLUCION MEXICANA
Compendio histórico político-militar.
*Luis Garfias Magaña.*

### VERDAD Y LEYENDA DE PANCHO VILLA
Vida y hechos del famoso personaje de la
Revolución Mexicana.
*Luis Garfias Magaña.*

### GRANDES PERSONAJES DE MEXICO
Hombres de la época Prehispánica, la Conquista,
el Virreinato, la Independencia, la República
y la Revolución.
*Fernando Orozco Linares.*

Otros títulos de la Colección **PANORAMA**

**FECHAS HISTORICAS DE MEXICO**
Las efemérides más destacadas desde la época
Prehispánica hasta nuestros días.
*Fernando Orozco Linares.*

## ARQUEOLOGIA/ANTROPOLOGIA

**LAS GRANDES CULTURAS DE MESO-AMERICA**
Desde la llegada del hombre al Continente
Americano hasta la última de las culturas
Prehispánicas.
*Demetrio Sodi M.*

**LOS MAYAS**
Vida, cultura y arte a través de un personaje
de su tiempo.
*Demetrio Sodi M.*

**LA EDUCACION DE LOS AZTECAS**
Cómo se formó el carácter del pueblo mexica.
*Fernando Díaz Infante.*

## ARTE

**EL ARTE BARROCO EN MEXICO**
Desde sus inicios, hasta el esplendor de los
siglos XVII y XVIII.
*Rafael Carrillo Azpeitia.*

**PINTURA MURAL DE MEXICO**
La época Prehispánica, el Virreinato y los grandes
artistas de nuestro siglo.
*Rafael Carrillo Azpeitia.*

**POSADA Y EL GRABADO MEXICANO**
Desde el famoso grabador de temas populares
hasta los artistas contempóraneos.
*Rafael Carrillo Azpeitia.*

Otros títulos de la Colección **PANORAMA**

## ARTE POPULAR

### EL ARTE POPULAR DE MEXICO
La creatividad artística del pueblo mexicano
a través de los tiempos.
*Porfirio Martínez Peñaloza.*

### EL TRAJE INDIGENA DE MEXICO
Su evolución, desde la época Prehispánica
hasta la actualidad.
*Ruth D. Lechuga.*

## TRADICIONES

### LA MUSICA POPULAR DE MEXICO
Origen e historia de la música que canta y toca
el pueblo mexicano.
*Jas Reuter.*

### HOMBRES Y CABALLOS DE MEXICO
Historia y práctica de la "Charrería".
*José Alvarez del Villar.*

## LITERATURA

### CUENTOS Y LEYENDAS DE MEXICO
Tradición oral de grupos indígenas mestizos.
*Lilian Scheffler.*

## TITULOS EN PREPARACION

### DIOSES PREHISPANICOS DE MEXICO
Mexicas, mayas, toltecas, zapotecos y mixtecos.
*Adela Fernández.*

### HISTORIA DE LA CIUDAD DE MEXICO
Desde su fundación como capital del Imperio
Mexica, hasta su gran desarrollo actual.
*Rafael Carrillo Azpeitia.*

Otros títulos de la Colección **PANORAMA**

**CODICES DE MEXICO**
Historia e Interpretación de los grandes libros
píntados Prehispánicos.
*Carlos Martínez Marín.*

**EL CALENDARIO AZTECA**
Historia e interpretación de la famosa Piedra
del Sol.
*Fernando Díaz Infante.*

**MAGIA Y BRUJERIA EN MEXICO**
Ritos y ceremonias pagano-religiosas.
*Lilian Scheffler.*

**LITERATURA MEXICANA**
Autores y sus obras. Desde la época Prehispánica
hasta la actualidad.
*Porfirio Martínez Peñaloza.*

**PORFIRIO DIAZ Y SU TIEMPO**
Biografía de uno de los más importantes
personajes de la historia de México.
*Fernando Orozco Linares.*

Impreso en:
Litoarte, S. de R.L.
F.F. C.C. Cuernavaca, 683
México 17, D.F.
5 000 ejemplares
México, D.F. Septiembre, 1982